銀座で逢ったひと

関 容子

中央公論新社

銀座で逢ったひと　目次

文学者の章

歌舞伎役者の章

女優の章

俳優の章

落語家・画家・音楽家の章

特別編

カバー・本文イラスト　南伸坊
ブックデザイン　宮古美智代

銀座で逢ったひと

文学者の章

吉行淳之介さんの灰皿

私がフリーの雑誌記者になって、まっ先に会いに行きたかったのが、繊細で都市的な美男作家の吉行淳之介さんだった。

吉行さんと言えば銀座の女性たちによくもてて、そのころ隆盛だった文壇バーではいつも吉行さんの席を取り巻く女性たちの笑い声が絶えない、と聞いていた。ずっとあとになってご本人からうかがった話では、「いや、あれは小鳥が水呑み場に集まるように、みん

な息抜きに寄ってくるんだよ」とのことだったが。

それで、女性誌での私の最初のインタビューは、吉行さんの好きな料理と食べ物についてがテーマで、ワクワクしながら上野毛の吉行邸を訪ねた。まず、「吉行・宮城」と横書きで並んだ表札を見て、ちょっとショックを受けたが、まり子さんとのことはもう公然の話で、吉行さんも談話の中に平気で宮城さんを登場させた。

いわく、料理はセンスである。お手伝いさんが時間をかけてていねいにつくり上げた料理より、宮城があり合わせの材料でパッとつくって出す惣菜のほうがうまい場合がある、と言ったあとで、「宮城はちょっとフランソワーズ・アルヌールに似てるんだ」とつけ加えたりした。

つい最近古いフランス映画『ヘッドライト』がテレビで放映され、ジャン・ギャバンと共演したアルヌールをつくづく見たが、微笑を含んで男を見上げる蠱惑《こわく》的な瞳、少しとがった顎の形など、なるほどと納得した。

その日、吉行さんは機嫌がよくて、次の取材はすぐにすむからそこで待つようにと言われ、その取材風景をおもしろく眺め、再び続きの料理談義をうかがっていると、そこにまた来客があった。当時話題を呼んでいた雑誌「面白半分」の佐藤嘉尚さんで、初代編集長を依頼している吉行さんとの打ち合わせのための訪問だった。

ミニコミ誌の「面白半分」は昭和四十六年に創刊され、吉行さんのほかに野坂昭如、開高健、五木寛之、筒井康隆などの各氏も歴代の編集長を務めている。なお、矢崎泰久氏による「話の特集」は昭和四十年の創刊で、これがサブカルチャーの草分け的存在と言える。

打ち合わせはすぐに終わって雑談になり、なぜかアレルギー体質の話になる。私が「マッチ棒で二の腕の内側にバッテンをつけると赤く腫《は》れます」と言ったら、吉行さんが「俺のはそんなありきたりじゃなくて、青く腫れるんだ」と粋《いき》がるので「じゃあ、やってみて」と迫ると、仕方なく吉行さんがそれに応じ、結果はやはり赤く腫れて、ついに神秘の青の伝説は成立しなかった。

私は来訪者が替わるたびに出されるコーヒーやらスプライトやらビールやらを全部つきあって、佐藤氏とともに吉行邸をあとにした。

道々、佐藤さんに、「僕は吉行さんの親しい人は全部知ってるつもりだったけど、あなたはいつごろから？」と訊《き》かれ、今日が初対面ですと答えて、なんだかあきれられた覚えがある。

後日、私がまとめた原稿のチェックのために、そのころ吉行さんの定宿だった帝国ホテルにくるように、と指定された。このときは前回の反動もあってか、ひどく緊張してかなりおとなしくなっていた。

館内電話から連絡すると、「ああ、君、部屋まで上がってきてくれる？」とのこと。私は一瞬ためらってから、「あの、階下へ降りてきていただけません？」と言ってみた。

「今、かかってくる電話を待っているんでね、ドアをバーッと開けておくからさ」と言われ、私はちょっと赤面する。でも、まだその時分は若い身空で、あんまり気軽にお部屋にお邪魔するのも……と自分に言い訳しながら、恐る恐るチャイムを押した。

吉行さんは屈託なくドアを開け放して、机を背にしたご自分の椅子の向かい側をすすめ、すぐに原稿を読み始める。

私はなんだかとても失礼なお願いをした気がして、じっとりと汗がにじみ、ハンカチーフを取り出すためにハンドバッグの留め金をパチンと開けた。

吉行さんがそれに気づいて、ああ、タバコを吸うのだな、と思ったらしく、原稿からは目を離さずに、右手でそっと薄い灰皿を押してくれた。

私がますます恐縮して固まっていると、吉行さんがクルリと背を向け、机の引き出しから千円札を一枚出して「階下へ行って週刊誌を二、三冊、見つくろって買ってきてくれないか」と、用事を見つけてくださった。

私はほっとして部屋を出ながら、なんて細やかな配慮をなさる方なのだろうと、なおいっそうファンになった。

それからじきに吉行さんの妹、女優の吉行和子さんと親しくなって、ある日、このときの話をしたことがある。

「あなたは大丈夫。兄のタイプじゃないから」と、あっさり言われてちょっと拍子抜けしていると、「知性派はダメなのよ」と慌ててフォローしてくれたが、私は知性派なんかじゃないわ、とそこであんまり反論するといかにも残念そうに聞こえるから、それで話を打ち切った。

すると、「今日はね、兄がまた帝国ホテルで仕事をしていて、夕飯をご馳走してくれるそうだから、一緒に行かない？」と、和子さんが誘ってくれた。

ロビーから和子さんが連絡する姿を見て、ああ、あの館内電話、となつかしかった。和子さんと私は同い年なので、同級生のお兄さんにおごってもらえるみたいな楽しい気分。

行った先は地階のお鮨屋、なか田で、三人がカウンターの席に並ぶと、向かい側に映画スターの池部良さんがいた。

ところで、私はこのときまだ池部さんと面識がなかったが、そのかなりあとに取材を通じて親しくなり、ある日、池部さんはこんなことを言って私に嘆いた。

「僕はこれだけ長い俳優生活なのに、映画で一つも賞をもらってないのよ。なにも考えないで、ただボーッと演じてるみたいに思われてるらしいけど、僕だって撮影前にいろんな演技プランを考えていく。それを一つ一つ消していくと、やっぱり小細工せずに素直に演じることに行きついてしまうんだ」

私は、それが正統的二枚目の演技というもので、お米を削りに削って芯だけにして、大吟醸のきれいなお酒ができるみたいに……と、懸命に弁護を試みた。やがて天下の二枚目の顔がパッと輝き、「ではお言葉に甘えて、そういうことに」となったのだった。

でも、吉行兄妹とお鮨屋で出会ったときは、芝居の主役を途中で降板させられたりして、演技者としての評価は決して高くないころだった。

池部さんが向こうで、「カイワレある?」と注文している声が聞こえたが、どうも出された様子がない。

吉行さんがおかしくてたまらない様子で店を出ると、待ちかねたように笑って言った。

「鮨屋の親父さん、遠慮したんだな、カイワレがない、だなんて」

和子さんと私が、すぐにはわかりかねて二人で顔を見つめると、

「だって、カイワレは大根の芽だからさ」

吉行さんにはずいぶん私の対談企画におつきあいいただいた。私はフリーの編集記者だったので、掲載の場はいろんな雑誌だったが、あまり深くは問い質《ただ》さずに引き受けてくださった。会場に向かう車の中で「今日はどこの雑誌だっけ？　ああ、そうだったね」という調子で、有難いことだったと思う。

対談相手も多岐にわたり、五木寛之、野坂昭如、倉本聰、丸谷才一、女性では桃井かおり、中島みゆき……と、花やかだった。

対談の原稿ではカットした、ちょっとした勘違いや冗談がおもしろくて忘れられない。たとえば、倉本聰さんとは女性誌の「ＪＪ」だったが、そのときまず倉本さんが痔の手術を終えたばかりの話を挨拶《あいさつ》代わりに始めて、

「手術は、ベンツのマークの形にメスを入れるんですよね」

「え？　そんな複雑な形に切るの？　Ｗの形に？　ギザギザに？」

「それはワーゲンでしょう。ベンツはこうでしょう」

と、倉本さんが空中に逆さＹの字を描いて、大笑いになったりした。

また、吉行さんの小説『夕暮まで』が当時話題になり「夕暮れ族」という流行語まで生まれたころ、ヒロインの台詞《せりふ》を私は桃井かおりの声で読んでしまったから、という勝手な理屈をつけて、また吉行さんの企画を立てた。

その対談の途中で桃井さんがタバコを切らし、

「かおりのタバコはみんなのタバコ。みんなのタバコはかおりのタバコよ〜」と言って、スタッフのタバコに手を伸ばしたのを、吉行さんがおもしろそうに眺めていた。

「私の少女時代、みんなからフルーツポンチって呼ばれてました。なぜか知らないけど」

「イカレポンチの連想じゃないかな。でも君らしくてかわいい渾名《あだな》だね」

この会話はカットしなかったと思う。掲載誌は「週刊プレイボーイ」。

また「女性自身」のお正月特別号に私の出した対談企画は、作家・文化人VS.女優・歌手、豪華三本立て、というものだった。

㈠遠藤周作VS.島田陽子、㈡團伊玖磨VS.竹下景子、㈢吉行淳之介VS.中島みゆき。企画は通って、三つとも私が担当した。

㈠と㈡はすんなり事が運んだが、吉行さんは年末で忙しいからという理由で、私に難題をもちかけてきた。

「明日の朝までに、テーマのプラトニック・ラブの語源について、調べられたら引き受けてもいいよ」

夜のことで、もう図書館は閉まっているし、そのころスマホで検索などということはできない。

そこで私のもう一人のお得意さまに、助けを求めた。それは『日本沈没』の大ベストセラー作家の小松左京さん。私は同じ「女性自身」で、博学の物知り博士（小松さん）に主として恋の悩みを根掘り葉掘り訊《き》きに行くハイミス（私）との対話、『恋愛博物館』も当時連載していた。

かねがね私は、いつ、なにを訊いても即答してくださる歩く百科事典、今で言えば人間グーグルの小松さんを絶対的に信奉していた。

以下は小松さんによるプラトニック・ラブの語源。

「古代ギリシャの哲学者プラトンが言い出したことですな。それでプラトニック・ラブ。野坂（昭如）氏が歌ってる〽ソ、ソ、ソクラテスか、プラトンか……のプラトン。彼はソクラテスの弟子。プラトンの弟子にはアリストテレスがいる。

プラトンの言葉は、『饗宴』（『シンポジオン』）という書があって、そこに出てくる。これ、シンポジュームの語源になってるけど、本来は一緒に酒を酌みかわす宴会の意味なんです。この書物の中に、人間はその昔、手が四本、足が四本ある合体人間、アンドロジーヌというものだった。それをあるとき神様が二つに分けたので、片方が片方の分身を恋しがって、すぐに合体したがる。

しかし、肉体や外見に惹かれる恋愛よりも、精神に惹かれる純愛のほうが数段上等である、ということを、傍らに美童を侍《はべ》らせて酒を飲みながら、プラトンが語ったというわけですよ。これでいいかな？」

すぐに吉行さんにこの解説を伝えると、

「美童を侍らせて酒……というのがいいね、じゃあ、まあ、引き受けるか」

となったのだった。

対談で、中島みゆきさんが、

「プラトニック・ラブって、まだ肉体的に結ばれる前までの間の恋愛期間のこと」

と定義したのを、「非常に現代的に割り切れてますな」と吉行さんがしきりに感心なさっていた。

丸谷才一さんともさまざまな対談の場で知遇を得た。文学者であると同時に、ジャーナリスティックな感覚の鋭い丸谷さんが、あるとき座興で楽しげに対談企画を立ててくださった。それは「歌う」とか「踊る」とか、「動詞づくし」がテーマで、たとえば「歌う」は山本健吉VS.さだまさし、「演じる」は唐十郎VS.宮崎恭子（仲代達矢夫人で演出家）、「数える」は広中平祐VS.芥川也寸志……という昭和五十年代当時のベストメンバーが顔を揃えた。

この企画はそのころあった美術雑誌「月刊アトリエ」（北原白秋の実弟北原義雄の創刊による）で、すぐに実現の運びとなった。

第一回の「逃げる」は、吉行淳之介VS.丸谷才一。

丸谷さんには『笹まくら』という初期の傑作小説があって、これは戦時下の徴兵忌避者が日本中を逃げ回る話。吉行さんはもちろん、もて過ぎて常に女性から逃げることを考えている、という設定。このお二人が存分に「逃げる」について語り合うのだから、おもしろくならないはずがない。

対談会場は京橋の名店「シェ・イノ」の前身、「ドゥ・ロアンヌ」だった。

丸谷さんが先に着いて、さもおかしそうにこう言った。

「吉行から電話があってね、逃げるという対談だそうだけど、あの子にも生活があるから、君、つきあってやってくれないか、って。僕が立てた企画なのに」

どうやら「あの子」というのは私のことらしく、吉行さんがこれまで私の依頼を断らなかったのは、私の「生活」を思ってくださってのことだったか、と感動した。

この名対談はたしかお二人それぞれの対談集に収められていたと思う。

このときにカットした吉行さんの発言。

「入籍を迫られると、逃げたくなるね。だからこの人（私のこと）が電話してきて、いきなり、『あの、関ですけど……』と言うと俺はびっくりして飛び上がるんだ。それだけはどうにかしてもらいたいなぁ」

丸谷さんは、吉行さんの作品と人柄を非常に敬愛なさっていた。吉行さんが平成六年、七十歳で亡くなったときはとても寂しそうだった。

つい先日、丸谷さんの最後の句集『八十八句』のページを繰っていたらこんな句があって、あの「逃げる」の対談の情景が、ふと思い浮かんだ。

掛川、吉行淳之介文学館にて
涼しさや愛されるのも一仕事

丸谷才一さんのスーツ

小説家で文芸評論家で、英文学者でもあった丸谷才一さんは、銀座が大好きだった。自らの喜寿を記念して出された句集『七十句』の巻頭にこんな句がある。

仮縫で二三歩あるく春着かな

いつお逢いしても、いかにも仕立てのよい英国調のスーツや替上着でピシッと決めておられたので、この句で仮縫いの楽しげな情景がパッと目に浮かんできた。当時のことをも

っと知りたくて、銀座、壹番館の渡邊明治さんを訪ね、重厚な造りの仮縫室を見せていただく。

まるで『白雪姫』の継母《ままはは》が毎朝自分の美しさを訊ねたみたいな、立派な三面鏡がそこに備えてあった。

丸谷さんがこの前に立ち、指揮者が指揮棒を構えるように両手を少し持ち上げて、やや斜めにポーズを取ってみたり、やおら二、三歩あるいて振り返ってみたりする姿がそこによみがえるようだった。

渡邊さんのお話では、往年の新国劇の名優、島田正吾さんもそんなふうにとても楽しげだったとか。お二人とも、そのころはもう、もちろんお若くない。思えば、こうして自分も銀座で洋服を誂《あつら》える身になれたのだ……という幸せをしみじみ嚙《か》みしめる男たちの充足感がジワッと伝わってくる。素敵な瞬間だった。

丸谷さんの買い物はほとんどが銀座。ワイシャツの誂えや時計や喫茶は和光、理髪は米倉、お洒落《しやれ》な小物はサンモトヤマ、文具類は伊東屋か鳩居堂、気軽なランチは資生堂パーラー、鰻《うなぎ》は竹葉亭本店で、張り切るときは吉兆本店、待ち合わせは教文館の洋書売場……。銀座の街を闊歩《かつぽ》するありし日の丸谷さんの勇姿がなつかしい。

私は多くのことを丸谷さんから学んだ。たとえば文章の書き方。といっても、テクニックの問題というより、生き方の姿勢に重きを置いている。つまり、書いて周囲の人間を傷つけることを決してよしとしない。実人生を誠実に生きてこその物書き。文章は人生の応援歌たるべし、というお考えだった。

その丸谷さんに私は最初に銀座で逢った。対談会場の第二浜作だったが、この「文芸閑談」という対談シリーズの構成を引き受けたことから、私のエッセイストとして道が開けるのだから、銀座はまさに私の開運の土地だった。

昭和五十年に創刊されて、たった六号で廃刊になる雑誌「カッパまがじん」（光文社）に、その「文芸閑談対談」は載っていた。ホストの丸谷さん自身の企画で、対談相手の顔ぶれがまたすごい。①中村稔（詩人・弁護士）、②久保田淳（国文学者・中世文学）、③水上勉（作家）、④堀口大學（詩人・仏文学者）、⑤里見弴（作家）、⑥谷崎松子（谷崎潤一郎夫人）というものだった。

四人目の堀口大學先生との対談会場は鎌倉の新田中。葉山にお住まいだった大學先生を編集長がお迎えに上がり、丸谷さんと私は時間が早いので鶴岡八幡宮に通じる段葛《だんかずら》をゆっくり散歩してから会場に向かった。

当時、大學先生は八十四歳。私の卒論テーマだった芥川龍之介と同年生まれ、ということで、もうとっくに文学史上の詩人かと思っていたのに、その若々しい対応ぶりに目を見張る思いだった。丸谷さんはまだ五十歳。

対談はいきなり丸谷さん持参のぶ厚い『堀口大學全詩集』に、これも持参の硯《すずり》と筆で署名を願い出るところから始められた。

「まあまあ、こんな重たい本を。あとで枕に使うおつもりか」という艶《つや》めいた冗談から、「与謝野晶子先生のお歌にこんなのがあります。『春曙抄《しゅんしょしょう》に伊勢を重ねてかさ足らぬ 枕はやがてくづれけるかな』。エロスのない歌はつまりませんからね」と、詩歌論の核心に入っていった。

大學先生は、長年フランスの詩や小説を訳してきたが、日本語ほど美しく優秀な言葉はない、と断言なさって、

「だって、俳句のできる国語ですからね、十七字であれだけ奥行きと広がりと深さのある文学表現のできる言葉がどこにありますか」

するとすると丸谷さんも、

「主格も目的語も省いてはっきりわかる国語はほかにありませんね」

と、すっかり意気投合なさっていた。

丸谷さんは帰りがけに、文豪谷崎潤一郎愛用の硯（松子夫人より贈られた）を、「これ、

洗ってきてくれないか」と私に差し出そうとして、すぐに「あ、いいよ、もし落として割ったりしたら、君に悲しい思いをさせるから、自分で洗う」と、廊下に立っていかれた。大學先生はその気配りの優しさを深く心に留められていたらしい。私が約半年後に葉山の堀口邸に通って「堀口大學聞書き」の取材を始めても、なにかにつけてあの対談前にした段葛の散歩のことをからかわれた。

「こんな歌ができました。『段葛いづちより降る初しぐれ　政子も知らぬ道行のため』。段葛は北条政子の散歩道だからね。政子さんも知らないあなた方二人の道行は、相当嫉《や》かれているに違いないですよ」

とにんまりなさるのだった。もちろんこの歌はご座興で、私の記憶の中にだけ存在する。この「聞書き」の連載が雑誌「短歌」（角川書店）で始まったのが、私の初めての署名原稿だった。

雑誌が届くと決まって翌日、丸谷さんからの電話で厳しいご指摘があった。たとえば、連載もかなり進んだころ、「近ごろでは出されるお菓子を（大學先生の分も）独占する習慣がついた」と書いたら、さっそく、

「もしもし、丸谷です。なんだね、あの女全学連みたいな文章は。お菓子を独り占めする習わしがついた、でしょう」

といった具合。

また、大學先生が以前の対談で出た「日本語がいかに優秀か」、という話の続きを語ったことがあった。

「短歌三十一文字の中に、人が三人入っててもわかる言葉、なんてほかにあるものじゃないですね。昔、鉄幹先生と僕の父親は親しくしていて、父親は外交官だったし、いい男でしたからね、鉄幹先生になびかなかった教坊の美女が、僕の父親と親しいと知れたおかげでなびいたという、つまり父のおかげだという感謝とおのろけのお手紙を、あるとき僕が晶子先生にお見せした。鉄幹先生がお亡くなりになってもう大分たったからいいかと思ってね。ところがやきもちに時効はないんだね。晶子先生のお顔が、一天俄《にわか》にかきくもり、のたとえ通り、険《けわ》しい表情になったので、僕は慌てて逃げ帰りました。

ずっとあとになって、晶子先生の『白櫻集』を見ていたら、そのときのことがなんとお歌になっていた。

『亡き人の若き日の文《ふみ》人見せぬ　多少は恋に関はれる文』というんです。そこに御夫妻と、そそっかしい男としての僕と、ちゃんと三人入っているでしょう」

このことを書いた回は丸谷さんからは電話でなく、葉書にこんな歌が書いてあった。

かねがね「教坊ってなんですか?」「花柳界のことですよ」などという会話をそのまま

書く私のインタビューの幼稚さがおかしくもあり、もどかしくもあったらしい。

聞書きを面白やとて人告げぬ　「語る大學聞く幼稚園」

丸谷さんと仕事上でお目にかかるずっと前から、私は「丸谷才一」の愛読者だった。昭和四十七年には夢中で読んだ小説『たった一人の反乱』が大ベストセラーになり、森繁久彌と桃井かおりでテレビドラマ化されたりしたが、どちらかと言えば私が好きなのは知的でウイットに富んだエッセイのほうだった。『大きなお世話』『食通知ったかぶり』『男のポケット』と、題名からしておもしろく、語り口も男っぽく明快で日本人離れしていた。こんな楽しい座談をじかに聞けたらどんなに素敵だろう、と夢想しては、あり得ない、とすぐに打ち消していた。

それがふとしたことから丸谷対談の構成をまかされ、その対談の席で堀口大學先生にお逢いできて、その聞き書きで物書きデビューが果たせたのは、思えば不思議な巡り合わせというしかない。

丸谷さんが角川書店の雑誌「短歌」編集長に電話して、まだ海のものとも山のものとも知れない私の連載を強く推《お》してくださったのは、たまたま私の出した葉書の数行がお目にとまったせいだった。だからその葉書に書いた文章は、今もはっきり憶《おぼ》えている。

丸谷さんの『文章読本』は昭和五十二年に出て、これも当時話題の本だった。そのころ私は文学座の芥川比呂志さんと取材を通じて親しかったので、入院中の慶應病院にお見舞いに伺った。ベッド脇の小机に数冊の本が積んであり、そのいちばん上に『文章読本』が置かれていた。

「――私がその本に目を留《と》めているのが芥川さんにわかり、ああ、この本ね、谷崎潤一郎の文章を褒《ほ》め、やがて川端康成の文体について論じ、そういう調子で安心して読み進んでいたら、そこに突然僕の文章が登場してきて、びっくりしてベッドから十センチばかり跳び上がって（このところ実演つき）、嬉《うれ》しくなったというわけです……とのことでしたので、ちょっとお知らせ致します」

丸谷さんはご自分が推薦した責任からか、それからすぐに厳しい文章指導が始まって、公認されたわけではなかったが、私は生涯、「先生」と思って接してきた。

丸谷さんのほうもしまいにはその師弟ごっこをおもしろがって、あるときこんなことがあった。

「銀座の画廊で個展を観るから、その足で鰻でもどう？」と、お供のお誘いがあり、楽しみにしていたら、当日の早朝にカタカタとファクシミリが鳴り、出てきたのは次の一句。

女弟子も師匠も休み春の雪

急いでカーテンを開けてみると、いつの間に降ったか、一面の銀世界。断り方一つにしても洒落ていた。

丸谷さんは亡くなる一年前に晴れて文化勲章を授章。十二日、帝国ホテルで開かれたお祝いの会に集まったその顔ぶれは、吉田秀和、小澤征爾、瀬戸内寂聴、河野多惠子と、さながら日本の文化人が一堂に会した感があった。

しかしその翌年の一月から、入退院をくり返す生活が始まって、ついにその年の十月、八十七歳の生涯を閉じた。

その間の過ごし方は、まことにみごと、というほかはない。

まずは懸案だった小説執筆のための取材を急ぐことだった。

その小説には私も多少関わりがある。あるとき私に「歌舞伎の家に生まれながら役者にならなかった御曹司、っているものなの？」とお訊ねがあり、思い当たる例をいくつか話した。

その一つに丸谷さんが興味を持って、まず藤間流宗家の勘祖さんから取材を始めた。眼目は「子供の弟子の素質のあるなしはどこでわかるものなのか」ということ。

続いて、勘祖さんの松濤の稽古場を見学し、富十郎さんの長男でまだ幼かった大ちゃん(現・鷹之資)の素質のよさをつぶさに見て、いたく感じ入ったようだった。

そこまでで取材は中断していたが、四月末のある日、入院中の病院から外出許可を得て、歌舞伎の舞台稽古を見に出かけた。このときのお供は、私と文藝春秋社の元重役、竹内修司さんだった。

歌舞伎座はそのときまだ建築中で、車が新橋演舞場に着くと、獅童さんの母上、小川陽子さんがにこやかに出迎えてくれた。その案内で丸谷さんは、楽屋裏の衣裳部屋や床山部屋も熱心に見て回り、指導を終えた仁左衛門さんとも言葉を交して、とても満足そうだった。

帰りがけ、天現寺のイタリアレストラン、アッピアに誘われて、丸谷さんが二人の労をねぎらってくださった。

竹内さんがちょっと席を外したときに、ポツリとこんな言葉が出た。

「実は、また別のところに悪いものが見つかって、もう手術はしないことにした。今日はいろいろありがとう」

それが私には「今日までいろいろありがとう」に聞こえ、涙がこみ上げてきたが、竹内さんが戻ったので、ぐっとこらえることにした。

没後に出た米寿記念の句集『八十八句』の中に、次の句を見つけたときは、あのときこらえた涙が続きのように溢れ出た。

生きたしと一瞬おもふ春燈下

あの、アッピアの淡い照明が私の脳裏によみがえる。

こう書きながら、丸谷さんがこれを読んだら「感傷的だ、くどい」、とまた厳しい指導になったろう、とちょっと笑った。

その、役者にならずに学者になった男の話がついに書き上がった、と再入院中の病室で聞いた。どうやら、大学の教授を退官するその男の最終講義を聞きたい、と見知らぬ老人から手紙が来て、君の母親とは昔恋仲だったことがある、と衝撃的なことが書かれてあり、それでハッと思い当たるのは……となるらしい。

あとで活字になってからじっくり読めるものと思って、その先は訊ねなかった。

ちらりと見せてくださったのはそのタイトルで、

「この題名はどこから取ったか、わかれば君もまぁちょっとしたものだ」と、そのころ流行《はや》りだした歌舞伎検定ふうに示されたのが、『萬里も翔べ！』。あ、『鳴神《なるかみ》』の幕切れ。竹本が語る〽千里もゆけ、萬里もとべ……ですね、と正解を出すと、残念そうに渋々認めた。

丸谷さんは米寿の祝いを一年繰り上げ、八月二十七日のお誕生日に、それまで世話になった編集者四十人を三田のフレンチレストラン、コートドールに招待。私は編集者ではなかったが、特別に招いてもらえた。それぞれが四百字詰め原稿用紙二枚に用意してきたスピーチをする、というのがいかにも丸谷さんらしい課題で、その日はとてもお元気そうだった。

でも、このときが私が「先生」を見た最後で、丸谷さんはそれから間もない十月十三日に亡くなられた。

その晩、目黒のお宅に伺って、ご子息の亮さんから、あの最後の小説はあと味がよくない、とご自分の手で破り棄《す》て、コピーすら残っていない、という話を聞いた。

ご病気と闘いながら、あれほどの貴重な時間を費やした仕事だったのに……と驚いたが、最後まで批評家の眼でみずからを守ったのだと思われる。潔いにもほどがあるが、いっそのことにすがすがしい。

堀口大學さんの扇子

足袋《たび》はめうがや　下着はべにや
傘と履物　土橋の阿波屋
香典代りの「君子香」　これは表の鳩居堂
和光　御木本《ミキモト》　目の保養　ただ覗《のぞ》くだけ
五十年一日《いちじつ》の如く

堀口大學

銀座がお好きだった大學先生の御用達《ごようたし》のお店。先生が香典代わりに用意されていた、黒の漆地に「君子香」と金文字の入った細長い小箱を私は葉山のお宅で見たことがあった。その後、先生が亡くなられてだいぶ経って、再びこの詩を目にしたとき、思い立って鳩居堂に行ってみたが、もうその品は置いてない、とのことだった。

五十年一日の如く、といっても、この詩にあるお店、今は半分しかないし、酔って大學詩を朗唱するような文学青年、というのもいなくなった。時代は移り変わっていく……。

ところで、大學先生八十九年の生涯の中で、銀座と最も関わりの深かったのは慶應義塾大学の学生だったころだろう。

そのころ、明治四十三年（！）の慶應は、森鷗外、上田敏を顧問に、永井荷風を主任に迎えて、文学部をおおいに刷新したところだった。

与謝野鉄幹・晶子夫妻の主宰する新詩社に入門し、そこで同い年の佐藤春夫と親しくなった大學先生は、春夫とともに一高（第一高等学校）を受け、二年続けて落ちてしまう。見かねた鉄幹が荷風宛てに推薦状を書いてくれて、ようやく二人は慶應文学部予科に二学期から補欠入学できた。

慶應での同級生は、ほかにたった一人。この三人が小山内薫教授の引率で帝劇の見学に出かけたり、馬場孤蝶教授の講義の残りを私娼街の蠣殻町のほうへ歩きながら聞いたりしたという。

ここまで書いて、まるで文学全集の背表紙に金文字で押されたような名前ばかりなのに圧倒される。


晩年の大學先生のお話を聞くために、私は葉山の堀口邸に二年ほど通った。そのとき、この短い学生生活を語られたときが、なんだかいちばん楽しそうに見受けられた。

「一学期からいた生方克三という男は無類の酒好きで、酔うとどうしようもないので、佐藤と僕は『メチャ克』と呼んでいました。

みんな、学校へはめったに行かず、怠け比べをしていたようなものでね。たまに三人がそろうと、各人の持ち合わせを睨《にら》み合わせてから、いざ出動となるわけです」

そのコースは、慶應のある三田から芝公園を抜け、新橋に出て、駅の待合室でひと休み。それから銀座に出て、カフェーパウリスタに立ち寄る。この店は今でもある。

その日のふところ具合で、コーヒー一杯でねばることもあれば、焼きリンゴやドーナツを注文することもあって、「こんなことばかりしていて、末はドーナツことやら」と、洒落てみたりもしたという。

佐藤春夫の『天下泰平三人学生』によれば、当時五十銭あると、慶應への往復の電車賃九銭、煙草《たばこ》一個十銭、昼飯十五銭、コーヒー五銭で、なお十銭の余裕があったとか。
佐藤春夫に当時を回想した詩がある。

若き二十《はたち》の頃《ころ》なれや
三年《みとせ》がほどはかよひしも
酒　歌　煙草　また女
外《ほか》に学びしこともなし

孤蝶　秋骨　はた薫
荷風が顔を見ることが
やがて我等をはげまして
よき教ともなりしのみ

また、大學先生にもそのころのこんな作品がある。

「夏の日のなまけもの」

銀座四丁目尾張町
角の珈琲店《カツフェ》はライオン
そこの二階で真昼間《まひるま》
コニヤックの酒杯《さかづき》前に
ぼんやりとなまけものは
もて余した白い時間の
消えゆくを見送りて居《お》り。

千九百十三年夏七月十九日
屋外《そと》は午後二時の日ざかりに、
巡査《おまわり》の剣《けん》は輝き、
撒水車行き、電車馳《は》す！
かかる時
なまけものはぼんやり

目をつぶり、耳をふさぎて、
王候も立《たち》ん坊《ぼう》と同じく享《う》くる
二十四時の愚劣を思ひ、
かつて如何《いか》なる世の時計も示さざりし
怪しき世の時を夢みて居り。

大學先生の雌伏の時は終わり、日本の外交官第一号だった父君に呼ばれてベルギーに渡る。それからは、継母《けいぼ》がベルギー女性だったために、フランス語を猛勉強する必要が生じた。その結果、フランス詩の膨大な翻訳で、日本の近代詩に大きな影響を与えることになるのだった。

それで取材に通う私は、大學先生からいただくお褒めのお手紙や感謝の献辞で、日本語の華麗な美しさに息を飲む思いを味わうことになるのだけれど。これまで筐底《きょうてい》に秘めていたが……たとえばこんなふう。

「今回の章、大人になったコマネッチの平均台。バランスよく、ところどころに大わざもあり、わけても着地がおみごと。感服致しました」（コマネチはルーマニアの体操選手。先生のお好みだったとみえる。）

そして『日本の鶯《うぐいす》――堀口大學聞書き』が角川書店から単行本になったとき「著者本の扉に」として。

綴《つづ》り続けて十五章
おん水茎の濃き淡き
眉刷毛の青
紅筆の紅

とお書きくださり、おかしいのは、自家用本の扉にはこう記しました、というお手紙つきで、「聞かれ者の小唄」とあった。

雑誌連載が終わって、角川「短歌」愛読者賞が決まったときにいただいたお手紙は賞づくしで、

『聞書き』受賞――関容子の君に
読者あっての雑誌でしょう
大事の大事は読者でしょう

読者が選ぶ「愛読者賞」
何より貴い賞でしょう
ふたりで悦《よろこ》びあいましょう

大學老詩生

この受賞パーティーへの祝電がまた素敵。

「聞き上手　書き上手　次のお仕事が待たれます。今宵の晴れやかなお姿をしのびながら
――堀口大學」

司会者がこれを読み上げたとき、会場がどよめき、一緒に受賞した歌人の辺見じゅんさんが、パッと微笑んでこちらを見た顔が今も忘れられない。

大學先生は、「容子さん、僕はこれ、もう一つ大きな賞をもらうような気がしますよ」とおっしゃっていたが、それから間もなくお亡くなりになる。それが昭和五十六年三月十五日。

先生の写真が各新聞に大きく載り、私は朝日新聞から談話を求められて、「先生はいつも言葉の御馳走《ごちそう》をしてくださる方でした」と言ったのを、すぐに雑誌で竹西寛子さんが、その言い方をお褒めくださった。

こうしてなにかと「堀口大學」が話題になって、この本の日本エッセイスト・クラブ賞の受賞の知らせが入ったのが、ご命日からちょうど三ヵ月目の六月十五日。これ、天上の先生のおはからいか。

さて、私の一番のお宝は、まさに言葉の御馳走のメインディッシュとも言える大學詩の書かれたお扇子。いわく……

君はも花と似たらずや
匂ひはゆれつ　風立てば

戸板康二さんの冗談

父の膝の上から歌舞伎を観始めていた私は、新聞の劇評を読むようになると「戸板康二」の名は憧れだった。

その戸板さんに初めてお逢いしたのがまさに銀座。そのころ、昭和五十年代にはまだ銀座から中原街道経由で丸子橋まで行くバスが運行していて、当時の私はよく利用した。

ある日、銀座松屋前からそのバスに乗ると、後ろ姿しか見えなかった男性客が向かい側

の座席に掛けたので「あ、戸板先生」とわかった。

私があまりにじっと見つめるので、その感じが届くらしく、あちらもときどき雑誌から目を離してチラリとこちらを見てはすぐに視線を元に戻した。そのうちだんだん混みだして間に人が立つようになったが、ガタンとバスが揺れたりすると、また目が合って、はずかしい思いをした。それでとうとう席を立って、日ごろ愛読している旨を述べ、接《つ》ぎ穂がないので私は目的地の手前で降りた。

それからはあちこちの劇場で偶然によくお逢いして、銀座のクラシックなバー、サン・スーシーやルパンなどにもお供させていただいた。そこでは慶應つながりの池田彌三郎先生と顔を合わせることも多く、お二人の粋な洒落合戦が楽しめた。

たとえばこんなふう。

「おや、ようこは聞いて振り返り、だね」

これは長唄『賤機帯《しずはたおび》』の〽狂女は聞いて振り返り……のパロディー。

また、「作者の意図が、を、作者のイズが、と言った役者がいてね」と戸板先生が嘆くと、すかさず「それはイト・イズ・ミステーク、ということで」と池田先生が切り返す。

ある晩、戸板さんに病気がみつかって入院間近と伺ったので、先生、早くお元気になって帰ってきてくださいね、と私が言うと、即座に「バスとし聞かば今帰りこむ……」

これは古今集、百人一首にも入っている中納言行平の「立ち別れ　いなばの山の峰に生ふる　まつとし聞かば　今　帰りこむ」のパロディー。

私が初めてパリに行ったときのこと。仏文学者の河盛好蔵先生やそのお弟子筋に当たる方たちとパリ15区のアキテーヌという当時珍しかった女性シェフのお洒落なレストランで会食した。

閑静な場所の名店なので、政府要人や芸術家たちがおしのびでやってくることがある、とは聞いていたが、まさかそこで時の大統領ミッテラン氏に遭遇するとは思ってもみなかった。階段に背を向けて座っていた私には、大統領とお連れの女性が二階から下りる姿が見えなかったが、前の席の友人がふと目をこらして、「あ、ミッテランさん」と呟《つぶや》くのが聞こえ、振り向いたときにはもうお二人の姿は消えていた。

はるばるとパリまで来て、こんなチャンスを逃すことは一生の悔い、とばかりに私は席を立ち、エントランスのほうへ急ぐ。外へ出てみると、少し離れた場所に黒塗りのクルマが停まっていて、女性を先に乗せた大統領がまさに片足を上げて乗り込もうとするところだった。

焦った私は、気がつくと、そのころ流行《はや》ったテレビのバラエティ番組『夢であいましょう』の中島弘子さんみたいに、身体《からだ》を斜めに折り曲げて渾身《こんしん》の敬意をこめた長い挨拶《あいさつ》を送っていた。

大統領は少し考えたあと、これはどこかで出会った女性かも、と思ったらしく、ツカツカと引き返して来て、「マダーム！」と手を差しのべ、ギュッと握手をしてくれた。そのときの大きな手のぬくもりと、灰色の眼の優しさと、抑えた声のくぐもりは、今もはっきり私の五感が覚えている。

帰国後すぐに私は、このできごとを「文藝春秋」の巻頭エッセイに書いた。題はもちろん「大統領の握手」。これを読んだ戸板さんが、いかにも『ちょっといい話』の著者らしい気に入り方をしてくれて、それから当分の間、私を人に紹介するときの決まり文句はこうなった。

「この人がミッテランさんと握手をした関容子さん。落日《らくじつ》を扇で招き返した日招きの清盛みたいに、大統領を招き返した……」

戸板さんのお洒落な言葉遊びは、相手の名前を織りこんだ短詩にセンスが光っていた。いろんな方が贈られているが、私へは……

せせらぎを　ききつつ　よひし　うまざけに　こころたらひしおみなわれ

これをいただいたときは堀口大學先生ご存命中で、聞き書き取材の合間に私がメモに書いてお見せした。即座にその才人ぶりをお褒《ほ》めになるかと思いのほか、なにかじっと思いを巡らしておいでのようだったが、「あなたはこういう静かな場所で戸板さんと二人きりでお酒を飲むの?」とご下問があった。いえいえいつも立て込んでいる腰掛けとかで、と慌てて打ち消すと、先生はやおらペンを取り、せせらぎを……の斜め上にピッと線を引いて、「皿小鉢　打ち合う音の」と書き加えられた。静かなせせらぎの流れの音を、たちまち賑《にぎ》やかな酒の席の喧騒《けんそう》のたとえに変えてしまわれた大學先生のお気持ちがほんのり嬉《うれ》しく、ありがたかった。

『日本の鶯——堀口大學聞書き』の次の聞き書きのテーマに十七代目勘三郎を推奨してくださったのは、ほかならぬ戸板さんだった。

「中村雅楽推理手帖」シリーズは、大中村屋を思わせる歌舞伎役者と、竹野という演劇記者のコンビによる「捕物帖」で、戸板さんがいかにも楽しんで書かれている様子が伝わってきて、おもしろかった。そこにいつの間にか、雅楽の芸談聞き書きを取りに通ってくる女性記者が登場しだして、その名が関寺真知子。何回目かにその真知子さんがめでたく結婚することになり、披露宴の席上、雅楽の祝辞の場面となる。雅楽の口調は先代勘三郎そっくり（モデルだから当たり前）の江戸言葉で、やがて祝辞が芸談に移ると、花嫁衣裳の真知子さんがいつの間にか熱心にメモを取り始める、という趣向が笑えた。

このシリーズは役者の間でも話題になっていたらしく、ある日私が歌舞伎座のロビーにいたら、吉右衛門夫人から「ご結婚なさったそうで……」と声をかけられ、返事に困ったことがあった。

私の『中村勘三郎楽屋ばなし』は書き下ろしで四年の歳月をかけ、出版の運びとなった。戸板さんは殊《こと》の外《ほか》喜んでくださって、もしも将来息子の勘九郎（十八代目勘三郎）の本を出すときは、題を「勘九郎後日関守《ごにちのせきもり》」とするといいよ、などと冗談をおっしゃった。

十七代目は芝居の出来《でき》をこの目利きの劇評家に訊ねるために、たまに電話をかけてきたらしい。すると、戸板夫人がそのときの役名で、「あなた、大判事（「妹背山婦女庭訓《いもせやまおんなていきん》」の）から電話よ」と取り継いだ、というのもちょっといい話。

電話のついでに、「本を書いちゃったらちっとも顔を見せないけど、関容子は元気でいますか」と訊ねられたということだ。

そのころ、もう戸板さんは喉《のど》の手術で声帯を失い、人工的なロボットのような話し方だったが、「あなたが元気かどうかを僕は知らない、しかし」と笑って、

「コレハ、ウキナモウケ（浮名儲け）、トイウモノダネ」

ドナルド・キーンさんの象

ドナルド・キーンさんが平成三十一年二月二十四日、九十六年の生涯を閉じた。

つい最近まで、METライブビューイング（ニューヨーク・メトロポリタン歌劇場の実況映画）が上映されている東銀座の東劇でよくお見かけした。

いつもご一緒の、養子のキーン誠己《せいき》さんとは前から親しかったので、ときどき立ち話で前幕の評判を語り合ったりしたものだった。

ときには上映中の演目と関係なく、私のドミンゴ好きをからかって、

「彼も年をとりまして、テノールからバリトンになりましたです。『椿姫』のアルフレードが、お父さんのジェルモンになりましたですね」

と笑ったりなさるのだが、どうしてあんなに読むこと書くことが日本人以上なのに、話し言葉はこんなにたどたどしいのか、とおかしく思ったりしながら、でも、今の若いテノールなんかのアルフレードより、よっぽど色っぽくて素敵でしょ、と反論すると、待ってたとばかりに、

「あなたが、もしヴィオレッタでしたら……」

と、ここで一拍置いて、人差し指を立て、

「乗ぉり換ぁえる？」

とお茶目に笑い、誠己さんをうながして場内に戻って行った。

晩年がお幸せでほんとによかった……とつくづく思って後ろ姿を目で追った。

キーンさんが日本文学と深く関わることになるきっかけは、なんと十八歳のときにニューヨークのタイムズスクエアの古書店で四十九セントで買ったウェイリー訳の『源氏物語』だった。

「――意外にも夢中になった。暴力は存在せず、『美』だけが価値基準の世界。光源氏は美しい袖を見ただけで女性にほれ、恋文には歌を詠む。次々と恋をするが、どの女性も忘れず、深い悲しみも知っていた。」（『黄犬《キーン》ダイアリー』）

この『源氏物語』の翻訳家ウェイリーは、キーンさんによると「特異な天才」で、複数の言語を独学で簡単にマスターし、『枕草子』なども訳している。戦後、日本政府に招聘《しょうへい》されたが、「平安朝の日本にしか関心がない」と断ったそうだ。

キーンさんは、谷崎潤一郎の『源氏物語』の現代語訳より、ウェイリーの英訳のほうが優れている、と文芸誌に書いたことがあり、あとで反省して谷崎に詫び状を書く。「何も気にかけてません」という返事をもらってほっとしたことがあるというが、こんな高級な比較ができる文芸評論家はキーンさんを置いて無《な》い。

また、昭和四十九年の「銀座百点」の座談会「異色風流一夕話」では、こんな話をして同席者（戸板康二・車谷弘・円地文子）をけむに巻いている。

キーンさんが佐渡の小さな村で古民家を訪ね、主《あるじ》からサインを求められて筆を渡された。そこで、その場で一句。

罪なくも流されたしや今日の月

「つまり『徒然草《つれづれぐさ》』に、顕基《あきもと》の中納言という人が、罪もないのにどこかの島に流されましたが、そこの月を眺めようという句があります。それを、兼好法師は、全《まった》くもっともなことだと言いましたが、注釈者たちは今でもその意味が分らないようです」

これは『徒然草』の「顕基中納言の言ひけん、配所の月、罪なくて見ん事、さも覚えぬべし」の件《くだり》。キーンさんの句はこれを踏まえているのだが、はたしてサインを求めた佐渡の住人はこれをどう受けとめたか……。

車谷さんが、キーンさんに俳号があるのかを訊く。

「ええ、鬼怒鳴門、『キヌナルト』または『キヌドナルト』とよみます(笑)」

この漢字名前は、平成二十四年三月、キーンさんが日本に帰化して通称名に当てたのかと思っていたが、こんな以前からだとは知らなかった。

いつか、私がこの話にちなんで、こんな雑談に及んだことがあった。

ブダペストに行ったとき、日本語と漢字にも堪能な好青年のガイドがいて、メヘシュ・バラジュという名だというので、私が「眼辺趣薔薇次」と書いてあげました……。

するとキーンさんが、

「うーん、薔薇次さん。どんな人か、会ってみたいです」

キーンさんと、養子の上原誠己さんとの出会いも運命的だった。

平成十八年十一月六日、新宿文化センターの「上方文化を遊ぶ」という催しに、キーンさんと作家の平野啓一郎さんの対談があり、その開演前の控え室に、紹介もなく一人で飛びこんだという。

元、鶴澤浅造《あさぞう》という文楽の三味線弾きだった誠己さんは人形浄瑠璃文楽座に二十五年間在籍したが、身体《からだ》をこわして退座。新潟の実家に戻って家業の造り酒屋を手伝っていた。しかし、芸道への思いは断ちがたく、進路の相談に乗ってもらえそうな偉大な碩学《せきがく》、キーンさんの存在を思いつく。「ある種の勘でしたね」と誠己さんは言う。

キーンさんはその日のことを、こう書く。

「――彼は和服を着ていて、優雅で洗練された物腰で私にお辞儀をした。私の書いた本が好きで、持参した本にサインしていただければ嬉しい、と彼は言った。」

誠己さんはサインへの丁寧な礼状を書き、一ヵ月後の十二月初めには駒込のマンションを訪問、明けて正月、二人は一緒に根津神社に初詣に出かけたりしている。

養子縁組が成立したのは、平成二十四年。キーンさん卒寿の誕生パーティー席上で、誠己さんは正式に養子として披露された。

私は、キーンさんと誠己さん、その他の方の協力で実現した古浄瑠璃の『越後国 柏崎弘知《こうち》法印御伝記』の、ほとんど創作に近い復活上演を新潟市のお寺や東京の朝日ホールに観に通い、柏崎のドナルド・キーン・センターを設立したブルボンの吉田康・眞理ご夫妻ともお近づきになったので、あるとき親しく会食に同席させていただいた。

誠己さんがごく自然に「お父さん」と呼びかけ、「これはもう召し上がりませんね。私がいただいちゃっていいですか?」と訊くと、ちょっと間を置いて、「ゆーるーすっ」と目をくるくるさせる光景は、幸せに満ちていた。

八十年近い歳月をひたすら日本文学研究と、世界への紹介に費やしてくれた大恩人に、これは誠己さんが日本人を代表して報いている姿なのだった。

キーン家のお墓は、生前、駒込の散歩コースで見つけた真言宗のお寺にある。ただし無宗教。お墓を楽しいものにしたい、という心から、黄色い犬、黄犬《きいぬ》(キーン)を台座に彫り、その下にキーン家の紋として象の意匠を刻んである。

「父は、日本で初めてキーン家ができたのだから、紋も独創的なものにしよう、と……」

キーンさんは普段、息子を「誠己」と呼ばずに、文楽時代の「淺造」という芸名で呼んだ。象の紋どころは、この淺造から思いついたものらしい。

素敵な話だと思う。

梅原猛さんのコースター

梅原先生に初めてお会いしたのは、銀座の料亭だった。光文社の雑誌「宝石」で、岡本太郎さん、小松左京さんとの座談会席上。

この豪華顔合わせに、そのころ若かった私が興奮して、まるでジュリーとショーケンとヒデキ……と言いかけるのをさえぎって、

「俺がジュリーやな」

とまっ先に名乗りをあげたのが梅原猛さん。こういう世俗のことにも通じておられるのだ、といっぺんに親しみを感じた。

この座談会が縁で、私は京都学派の今西錦司、桑原武夫、梅棹忠夫の各先生方との対談、座談会の企画を次々に出すことができたので、当時フリーライターとして、いい仕事をさせていただけたのだった。

その後、梅原さんはスーパー歌舞伎『ヤマトタケル』(昭和六十一年二、三月、新橋演舞場初演)で大当たりをとり、主演の三代目市川猿之助(現・二代目猿翁)との対談やら何やらで、ずいぶんお目にかかる機会が増えた。

十七代目中村勘三郎が七十八歳で亡くなったのは昭和六十三年四月だったが、ちょうどそのころも梅原さんと仕事でよくお会いしていて、

「あんたが本を書くと、堀口大學も勘三郎も、みんな死んでしまうなぁ。お迎えお容、極楽お容やな。だからお容さん、俺のことは書かんといてな。死んだら書いていいぞ」

と、念を押された。

あるとき、私は死後の転生、生まれ変わりについて訊ねてみたことがある。

「それは必ずあるな。人間、ぐっすり眠って目が醒《さ》めても、昨日のことを忘れてへんやろ。それと同じで、生まれ変わっても前世の記憶があるから、ピアノがだれよりも早く上達し

たり、絵がうまく描けたりする者がおる。いくら習ってもあかんやつは、生まれ変わりのまだ浅い人間やな」

この話には深く納得がいって、天才と言われる方々を見聞きするたびに、梅原さんの熱っぽくあたたかな声音と、はにかみながらも自信に満ちた表情がなつかしく思い浮かぶ。


いつだったか、梅原さんがご自分の出生について語ったことがあった。

実父は当時の東北帝国大の学生で、仙台の下宿先、魚問屋の娘との間に自分は生まれた。実母は間もなく亡くなって、それからは父方の伯父夫婦を養父母として育つ。

はじめは数学少年だったが、浄土宗の学校で名門の旧制東海中学に入るころから、文学、哲学、宗教学に目ざめ、のちの「梅原日本学」と言われるジャンルの礎《いしずえ》は、ここで築かれることになるのだった。

初期の著作、『地獄の思想』『隠された十字架　法隆寺論』『水底の歌　柿本人麿論』はベストセラーになり、私はおもしろい小説を読むような感じで愛読し、著者の存在は花やかだった。

三島由紀夫の死後に梅原さんの飛躍があり、高橋和巳の死後に長編を多く書くようになると、「二人が俺に乗り移った」と豪語。

小松左京さんはそれを「妄想のモーちゃんやな」と笑う。

エネルギッシュな創作意欲は生涯衰えることがなく、著作数は実に六百数十冊に及ぶそうだが、九十歳のときの『親鸞「四つの謎」を解く』について、自ら熱く語っている。

私はそれをSNSを通じて、YouTubeの映像で見ただけだが、とても九十歳とは思えない壮健さで、相変わらずの笑顔だった。

曰く——親鸞は九十歳まで生きた。今、自分も九十になって改めて親鸞と向き合ってみた。親鸞は師である法然とどこが違うかと言えば、妻帯したことである。つまりは俗人も、女人も浄仏できる。これは一大仏教革命である……。

梅原さんは語り終えると、

「これを書いたのだから私も極楽浄土へ行けること、間違いなしやな」

と、晴れやかな破顔一笑。

亡くなったのは九十三歳。平成三十一年の一月十二日のこと。土曜の午後だったので、大勢の家族に囲まれて、まるで釈迦涅槃図《しやかねはん》のようだった、と聞く。

生まれ変わるのは曾孫にというのが多い、と生前語っていたそうだが、近い内にその曾孫さんが三人生まれる予定とか。

梅原さんは大正十四年、丑《うし》年の生まれで、同年の著名人が交流する「奇牛会」の会員だった。この会には往年の名横綱栃錦関（春日野親方）や、作家の丸谷才一さん、松竹会長の永山武臣さん、噺家の桂米丸師匠などが入っていて、ときどき銀座の料亭で会合があり、梅原さんも京都からたまに参加なさっていた。

この会で梅原さんと丸谷さんが親しくなって、丸谷さんのベストセラー小説『女ざかり』の女主人公の恋人が「仙台の哲学者」、というのには参ったな……と梅原さんがちょっと嬉しそうに困ってみせたこともあった。

さて、これから書くことは、どうしても自慢話に聞こえそうで、一生涯書かないつもりでいたのだけれど、堀口大學、丸谷才一、梅原猛、というお三人のいわば作品である短歌を握りつぶすことになるのでは、と思い切って書くことにした。昔語りのこととて、ご寛容にお読み流しいただきたい。

ある晩、と言っても遠い昔のこと。昭和五十年代中ごろであったろうか。

私が『日本の鶯――堀口大學聞書き』を書き上げてしばらくしたころ、遅い時間に電話が鳴った。

大學先生の、いつものお声とはちょっと違った、抑えたお声で、

「容子さん、これから歌を二首、言いますから、文字で書かずに、あなたの心の中に書き留めておいてくださいね。いいですか？　一度しか言いませんよ」

ふれで逝く心残りの柔肌の
一人と知らば君泣くらんか

姓字にことよせ
門構へ床しき奥にひそみ咲く
そのししむらの花の恋しき

震える思いで胸にたたんで、この話は決してだれにもしないつもりだったが、丸谷さんは大學先生とのご縁をつないでくださった方なので、あるとき思わず言ってしまった。丸谷さんはカウンターバーのコースターに、緑色のインクのペンでこう書いた。

大學のをわりの歌の色と艶
この花ざかり眺めたせいか

そのコースターをしばらく持ち歩いていて、梅原さんから「お迎えお容、極楽お容」の話が出たときに、またこらえ切れずにコースターをお見せした。

梅原さんは「これは、張り合わんとあかんな」としばらく考えていて、その店のコースターに、ブルーのインクのペンでこう書いた。

花の蜜甘きを吸ひて極楽へ
　逝きにし人のあはれなるかな

そしてこうつけ加える。

「お容さん、このあはれは、哀れとは違うで。もののあはれともちょっと違う。しみじみ心に沁みるなぁ、ええなぁ、くらいのとこやろな」

池内紀さんの歌舞伎

ドイツ文学者でエッセイストの池内紀さんが亡くなられた……とフェイスブックの光る画面で見て、衝撃を受けた。虚血性心不全、七十八歳、令和元年八月三十日、とバラバラに目に飛びこんでくるが、信じられない思いだった。

朝型を自認し、暗いうちから起き出して仕事に励むいっぽう、山歩きと温泉とお酒がお好き。酔眼朦朧湯煙句会の同人で、俳号は黙念。気ままな一人旅を楽しまれた、あの健全でまともな池内さんがなぜ？　という気が今もしている。

池内さんに最初にお会いしたのは、平成六年『海山のあいだ』で講談社エッセイ賞を受賞されたとき。祝賀会場の東京會舘で、選考委員の丸谷才一先生の紹介だった。ちなみに私はその二年後に『花の脇役』で同じ賞をいただいたが、思えばこのころの選考委員は大岡信、井上ひさし、野坂昭如、そして丸谷才一という錚々《そうそう》たる顔ぶれだった。

池内さんがお祝いの葉書をくださり、勤務先（東京大学）の近くにじいさんばあさんだけの小さな蕎麦屋があって、酒もうまいので今度行きましょう、という文面に、素朴な感じの老夫婦のペン画が添えられてあり、いい感じだった。

私が少し遠慮をしていたせいで、それから間もない池内さんの定年前の退官に間に合わず、ついにそのお蕎麦屋には行きそびれた。

その翌年（平成九年）、私の『虹の脇役』を池内さんが新潮社の「波」で取り上げ、褒めてくださったので、そのお礼に今度は私から十二月の歌舞伎座にお誘いした。

師走興行夜の部の狂言立てがなつかしい。

一『大杯《おおさかずき》』團十郎、二『酔奴《よいやっこ》』猿之助（三代目）、三『籠釣瓶《かごつるべ》』は、勘三郎（当時・勘九郎）の次郎左衛門、玉三郎の八ツ橋、梅玉の栄之丞、という配役だった。

このときが勘三郎初役の次郎左衛門で、かなり評判を気にしており、近々、池内先生というドイツ文学者をお連れする、と伝えると、そういう人の感想はぜひ聞きたいから、終演後に楽屋に来てよ、とのこと。

池内さんもそれを承諾してその日の観劇は始まったが、『籠釣瓶』の幕切れ。醜い痘痕《あばた》顔の次郎左衛門が、しきりに恐縮している美女の八ツ橋花魁《おいらん》を一刀のもとに斬ってしまうと、いくら満座の中で愛想づかしをされたことへの遺恨でも……と、ひどくびっくりされたらしい。

「僕、失礼します」と逃げるようにお帰りになった。楽屋には一人で行って、そう言うと、

「アハハ、俺、そういう人、好きだよ、いいねぇ、よっぽどショックだったんだね」

と勘三郎さんが喜んだ。

池内さんはその後、すっかり歌舞伎にはまってくれたようだった。私もあちこちの劇場で偶然お目にかかることがよくあった。

あるとき、池内さんから『無口な友人』(平成十五年刊)というエッセイ集が送られてきた。その中に、こんな文章があって、なにか、誇らしい気がした。

「私は自分を硬化させないように、四十代になってから五年ごとに何か新しいことをはじ

める習いにしている。絵、ギター、将棋ときて、いまは歌舞伎だ。」

これは「宗十郎の死」と題するエッセイの一節だが、私が歌舞伎にお誘いしたちょうど一年後の十二月、池内さんが宗十郎の『蘭蝶《らんちょう》』を観たことを書いている。このとき、男芸者の蘭蝶とその女房お宮の二役を宗十郎がつとめ、蘭蝶の愛人、此糸《このいと》が芝雀（現・雀右衛門）、紀伊国屋文左衛門に三津五郎襲名を間近に控えた八十助が出ていた。

池内さんは冒頭でこう書く。

「花道から舞台のソデにかかったとき、『紀伊国屋！』の声がかかった。つられて目をやったとたん、ハッとした。むしろギョッとした。異様な姿を目にしたからだ。痩せていて、骨ばっている。（略）頭につけた黒い頭巾が、なおのこと骨だけの顔を強調していた。」

宗十郎が亡くなるのはその楽日から間もない翌年一月の十二日。心不全。六十七歳。私の大好きな古風な味の役者だった。

池内さんが続ける。

「新入生（注・ご自身のこと）が、またとない舞台に立ち会った。あきらかに宗十郎は自分の死を覚悟していた。（略）翌一月には坂東八十助が十代目三津五郎を襲名する。宗十郎はおおかたのところ、自分がこの世にいないことを見きわめていたのではあるまいか。宗十郎いちど閉じた幕をまた開けさせ、共演の八十助をかたわらにして異例の前口上をした。」

池内さんは、「世紀変り目の大一番で」途中休演になるかもしれない宗十郎に劇場をそっくりゆだねた「松竹も味なことをした」と書く。あっぱれ、歌舞伎通になっている。

池内さんはある時期、「銀座百点」の人気座談会、「銀座サロン」のホストをつとめていた。ホステスは作家の北原亞以子さんで、平成十九年から四年にわたり、毎年の新年号のゲストには、歌舞伎役者を迎えている。

仁左衛門、三津五郎、吉右衛門、芝翫（七代目）の順で、今読むと池内さんの猛勉強ぶりがよくわかる。たとえばこんな発言。

「いがみの権太は、上方と東京じゃ、ずいぶん違ってたのを、仁左衛門さんがいい形で統一なさった感じですね」

「三津五郎さん。目の前でお会いすると小柄だけど、『怪談　牡丹燈籠』の圓朝役はずいぶん大きく見えましたよ」

「吉右衛門さんの舞台の姿って、だいたい皆、大きく見えるけれど、女形の袖萩《そではぎ》はふうーッと体が小さくなった。すごい芸があるもんだなあ、と思いました」

「今度、歌舞伎座が建て変わりますが、芝翫さんが『その前で記念写真を撮りたくなるような劇場にしてほしい』とおっしゃったのは名言ですね」など。

池内さんとはその後、こんぴら歌舞伎に編集者をまじえてご一緒したりした。最後にお会いしたのは長岡市の「堀口大學を語る会」に招かれたとき。現地集合だったが、帰りもいつの間にか一人、別の列車で、その何時間かをだれにも侵されずに使っておられたのだと思う。猛勉強家だったのだ。

そんな池内さんも、「無口な友人」（愛犬チャンプのこと）には、心全開で接したようだ。チャンプは半分秋田犬のオス。散歩をねだる愛犬との駆け引きが楽しそうに書かれている。小さな草地に寝ころんでうとうとしていると、やにわに胸の上に乗られ、熱い息を吐きかけられたりする幸せな時間。しかしその愛犬も十四年三ヵ月の生涯を閉じる。

「庭の隅に大きな穴を掘って葬った。いっしょのしるしに、冷たい鼻先にわが使い古しの万年筆をくっつけた。チャンプを失って、私はこの人生、もうそろそろいいかなと考えるときがある。」

池内さんがこう書くのは、宗十郎の死の四ヵ月あとのできごとについてだから、六十歳になったばかり。なんで「もういいかな」なのだろう。

しかし、池内さんはその後十八年間、愛犬チャンプを天国で待たせた。どうせなら、あと十年ほど待たせておいてもらいたかった。

色川武大さんの紙袋

色川さんにはどこかの文学賞のパーティーで誰方《どなた》かに紹介され、その後何度かお目にかかっている。それで、吉行淳之介VS.色川武大対談の構成者として私が同席したときは、かなりもうおなじみだった。

対談で、銀座の文壇バーでは吉行さんばかりがもてる、というういつもの話になったので、私は色川さんを応援するつもりでこんな話をした。

「画家の野見山暁治さんが「あの顔は、死を覚悟して敵将の前にドッカと座った落武者の風貌《ふうぼう》だね」とおっしゃってましたけど、とても素敵だと思います」

するとと色川さんが真面目な顔で

「それはあなたがたまに僕に会うからであって、ずっとそばにいたら素敵でも何でもない。風呂には入らないいし、眠り病だし……」

と言いかけるのを、吉行さんが「まぁまぁ」と笑いながら遮《さえぎ》って、本題に入って行った。私の応援をまともに受ける色川さんの純情が、大人の吉行さんにはちょっとおかしかったのかもしれない。

それにしても、色川さんの大きな頭は武士の月代《さかやき》のように禿《は》げ上がって、その周りを長髪が取り囲み、たまにギロリと目を剝《む》くと凄《すご》みがあって、まさに敗軍の将のような風格があった。それでも破顔一笑のときはたちまち無邪気な顔になる。若くてやせていたころの写真を見ると、とてもハンサムだったし、あの無頼でいながら繊細、というのが魅力で、私には素敵に思えたのだった。

色川さんは昭和四年、東京、新宿の矢来町に生まれた。父親は四十代で退役した海軍大佐で、この父が四十四歳のときに生まれた長男が色川さん。いつも家にいて、叱るときには鞭《むち》を使う厳格な父との関係は、のちの文学上の重要なテーマとなり、三十二歳のときに書いた『黒い布』が中央公論新人賞を受賞。伊藤整、武田泰淳、三島由紀夫に激賞される。その後、阿佐田哲也の筆名で『麻雀放浪記』や『次郎長放浪記』などを書き、色川武大の本名で『離婚』『百』『狂人日記』などを書いて、直木賞、泉鏡花賞、川端康成文学賞、読売文学賞を受賞している。

『離婚』は、別れる決心をしながら別れられずにゆれ動く男ごころを描いた作品だが、従姉妹《いとこ》で十五歳年下の孝子夫人は、この小説そのままの人物と思われてノイローゼになり、自殺まで考えたというから、作家の身近にいる人はつくづく大変だと思う。

色川さんには、もう一つのジャンルがあって、それは小学校時代から学校をサボっては浅草の興行街や寄席に出入りし、これがのちの『寄席放浪記』や『なつかしい芸人たち』などになる。芸人に対する愛の深さ、優しさがうかがえて、最も私の好むところとなっている。

ところで、色川さんに私は何かと親切にしていただいた。

あるときまたどこかのパーティーで出会い、私が今何を書いているのかを訊ねてくれて、その場ですぐに推理作家の結城昌治さんへの紹介状を次のように書いてくださった。

「ユニークなライターで、今、谷中周辺のことを書かれているそうです。桜木町あたりの昔話をしていただけると有難いのですが。色川武大」

その私の名刺の裏に書かれた紹介状は今も手元にあるので、結局私は結城さんをお訪ねしなかったことになる。

それというのも、私のその名刺は憧れの吉行さんから私宛に来た葉書の宛名書きの「様」を外し、注文して作ったお宝名刺で、しかも裏には色川さんの肉筆がある。それを渡してしまうのが惜しくて結城さんをお訪ねしなかったのかもしれなかった。

思えば、いかにも元文学少女のしそうなことを私はしていたものだった。

そのお詫びやらお礼のつもりか、私が色川さんを文楽にお誘いすると、意外にも快諾で三宅坂の国立小劇場の前で待ち合わせる。お洒落な白麻のスーツでビシッと決めた、六十歳という若さで亡くなる三、四年前の九月のことで、色川さんがタクシーから降りてくるときに、何やら大事そうに捧げ持っておられた物を、おみやげとしてすぐに私に下さった。見ると、本むら庵のうどんの折で、こういうところがいかにも苦労人の感じ。

文楽が始まると並んで掛けた巨体がだんだん固まってくるみたいになって、突然ピクッとしたかと思うと、すぐに眠ってしまった。

対談のときに伺った眠り病――ナルコレプシーの発作とはこのことかと、気の毒に思いながらも何だか笑えた。

それから何ヵ月かして、新宿の大京町のお仕事場に用事で訪ねたことがある。辞するときにサイン入りの『百』という著書をいただいた。

色川さんには「引越貧乏」という短編もあるが、本当によく引越しをなさる方で、生まれ育った新宿に戻って、これでもういいのかしらと思ったら、その後世田谷の成城に移り、また、文筆活動に専念するためにと、北国の岩手県一関市に転居。程なく信じがたいことに、心臓破裂という激烈な発作を起こして急逝する。平成元年四月十日のことだった。


吉行淳之介さんは、色川さんにかなりの好意を持っていた。銀座にある地下室のバー「まり花」へ行くと、しばしば色川武大に会い、とりとめのない雑談をして、それだけで愉快だった、と随筆『懐かしい人たち』の「色川武大・知って驚く」の項に書いている。

そして、亡くなる少し前の二月十八日、色川武大の予告なしの訪問を受けた、とある。

「色川武大は大きな紙袋を提げていて、大国主命《おおくにぬしのみこと》のようだった。その袋から、三鞭丸のアンプルやロイヤルゼリーやそのほか漢方系の元気の出る薬を一山、テーブルの上に積み上げた。そして、これから結城（昌治）さんの家に行く、と言った。袋の中身は半分残っていて、それを届けるのだという」

ああ、私がお訪ねしなかった結城さんとはそれほどの仲だったのかと思う。しかし結城さんは平成八年、吉行さんはその二年前、とっくに亡くなってしまっている。

吉行さんは更にこう続ける。

「そういうことは偶然に過ぎない筈だが、いまにしておもうと、袋を提げて歩き出した色川武大は、ちょっと立止った。そして、「ま、これでいいか」と呟いて、巨体を揺らして立ち去ったような気になってくる。

それが、色川武大を見た最後である」

色川さんは丁度その二月、『狂人日記』で読売文学賞を受け、私がお祝いのパーティーに出かけようとしたら風花が舞うような寒い日だったので、ついやめにしてしまった。

その二ヵ月後に新聞で色川さんの訃報を知って衝撃を受け、祝賀会に欠席したことをひどく悔やんだ。

新宿のお仕事場でご著書を渡されるとき、扉にそっと何やらコチャコチャと書きつけて照れたように差し出された『百』を今改めて開いて見ると「いつか僕のことも書いてください。色川武大」とあった。

あれから、三十数年の時が過ぎて、今ようやくこうして色川さんのことを書いている。

小松左京さんの猫

小松左京さんをSF小説『日本沈没』の大ベストセラー作家、とだけでは紹介し切れない。万国博覧会や花と緑の博覧会のプロデューサーとして活躍し、宇宙開発に協力し、映画製作にも関わって、その深い教養と知識を活《い》かした広範囲にわたる活動ぶりは目を見張るばかりだった。

『日本沈没』は大阪万博の三年後、昭和四十八年三月に刊行されると驚くほどの売れ行き

で、年末までに上下巻併せて三百四十万部に達し、当時の田中角栄首相もこれを読むほどの社会現象になった。

出版元の光文社は、雑誌のどれかに小松さんの連載を依頼するため、まずは当時銀座で有名だった文壇バーの「眉」に重役と担当編集者が会いに出向き、私はそこにライターとして同席した。席に着いてしばらくすると、吉行淳之介さんが通りかかり、行き過ぎてから二、三歩後退してきて、「あれ？　君はどこの店の子だっけ？」と言いかけて同席者に目をやり、「あ、光文社か」と笑ってすぐに立ち去った。

小松さんは「さすが色事師だ」としきりに感心し、「俺がそのまま真似ても駄目だけど」と巨体の肩をすぼめてみせた。

結局連載は「女性自身」に決まり、毎週ハイミスの女の子が、雑学に通じているおじさまにちょっと聞きにくい恋の悩みを根掘り葉掘り聞き、それを当時はやりのエソロジー（習性学）に当てはめて解答する「恋愛博物館」となった。始めてみるとこの連載はずいぶん大変だったけれど、私には楽しい勉強の場となった。

学んだことは初対面のときからあって、何かの話題で私が「講談の神田山陽という人が」と言いかけると、小松さんが「あ、これから何を言うのか知らないけどね、この人のお父さんだからね」と担当編集者のほうをチラリと見て教えてくれた。すごい気配りの人。

小松さんは当時大阪の箕面市にお住まいだったので、私の関西への出張がかなり頻繁になった。

取材は大阪だとホテルプラザ、京都だと岡あいというお茶屋が多かった。そのおかげでいわゆる京都学派と言われる学者や芸術家をたくさん垣間見たり、時に新しく何か仕事ができたりもした。

ざっと思い出すだけでも、文化人類学者で登山家の今西錦司氏、仏文学者で評論家の桑原武夫氏、民族学者で生態学者の梅棹忠夫氏、劇作家で評論家の山崎正和氏、歴史学者の会田雄次氏、哲学者の梅原猛氏、上方落語の桂米朝師など。また東京では画家で芸術家の岡本太郎氏、作曲家の團伊玖磨氏、社会学者の加藤秀俊氏など、もしかして遠藤周作氏、北杜夫氏と知遇を得たのも小松さんを介してかもしれなかった。

今、思い返して一番有難かったことと言えば、私に堀口大學先生への聞き書きをすすめてくださったこと。

同じ光文社で、雑誌「カッパまがじん」(昭和五十年)の対談構成者として私が大學先生に出会い、八十四歳のご高齢にも関わらず、その洒脱なお話ぶりにすっかり感嘆して、色んな人にその興奮を語ったけれど、「そんなに感銘を受けたのなら、僕に聞きに来たみたいに、今度は大學さんに恋の話を聞きに行ったら？」と具体的な提案をしてくださったのは小松さんだけだった。これが私の最初の署名原稿になるのだから、やっぱり小松さんは大恩人。

そのころ「恋愛博物館」は好評のうちに一年の連載が終わり、単行本にもなって、次も同じ光文社の雑誌「宝石」で、小松さんの連載も担当することになっていた。いろいろと企画を練っていて、小松さんの提案により今度は若手花形文化人類学者の石毛直道氏、米山俊直氏を加えての「人間博物館」。民俗学的立場から「性と食」について存分に語り合おうということになる。

三人とも博覧強記の人たちだから、座談会をそのまま書いたのでは収集がつかなくなる。いろいろ方法を考えていて、漱石の『吾輩は猫である』の雌猫《めねこ》版にしてみたら、という提案をしたのは私だった、ということだ。私はすっかり忘れていたが、この稿を書くに当たって『人間博物館』の文春文庫（昭和六十一年刊）「あとがきにかえて」の座談会を見ていたら、「猫を登場させるというアイデアをだしたのは彼女だったんです」と小松さんが言っていて、米山さんが「猫というキャラクターを入れたのがよかった。猫ちゃんかわいかったし（笑）」なんて言ってくれていた。

それで三人は漱石の『猫』の登場人物、珍野苦沙弥、迷亭、水島寒月に因《ちな》んで、小松さんが臥猪庵斜栗《がちよあんしやくり》（号は珍勃亭《ちんぼってい》でネコの飼い主）、石毛さんが大食軒酩酊《たいしよくけんめいてい》（当時・国立民族学博物館助教授）、米山さんが涼 斎海月《りようさいかいげつ》（当時・京都大学教授）となっている。

この連載はすべて小松さんの筆によるもので、私はその場に行ってときどき質問したり笑ったりしているだけだった。

小松さんのネコ前口上がすごく笑える。

「あたし、ネコなんです。名前、まだないけど……。むろん、メス。花の一歳半。自分でも美猫だと思っているけど、ずいぶんもてるんです。あたしの言葉つき、どこかできいたみたい？　でも、あたし人間の文字をおぼえるとき、飼い主が、よくあけたままほうり出してるエッチな週刊誌の宇能《うの》センセイの小説でおぼえたからなんです」

と、こんな感じ。

内容は、一夫多妻、罪と罰、人肉食、祭りと芸能などなど、社会人類学的に気楽な分析を試みるというもので、今読んでも勉強になる。

これが単行本になったとき、丸谷才一さんが「週刊朝日」の書評欄で、冒頭から「賢いネコ」ばかり褒めていいて嬉しかった。

思えば石毛さんご自慢のバイクの後ろに乗って風を切り、万博会場跡を思い切り走ったり、このころが私にとっての遅い青春だったのかも知れない。

小松さんは平成二十三年七月に、八十歳で亡くなった。

晩年はあまりお目にかかる折がなかったが、一度だけ「人間博物館」のメンバーが茨木市にある石毛さんの仕事場に集まって、「同窓会」をしたことがあった。米山さんは平成十八年に亡くなっているから、その二、三年前のことだった。

そのとき、小松さんが仲の良かった星新一さん（平成九年没）の思い出をこんなふうに語った。

「ふざけた人でね、僕が尼崎に住んでたころ、星さんは手紙の宛先にわざと尻崎と書いてくるんだ。尼の字は中が九じゃなくて七だ七って、言ったら、今度は屁崎って書いてくる。そのうち、何だかにおうような気がして（笑）、今の箕面へ越すことになった」

先生がおかしなことばかりおっしゃるから、場違いな所で思い出して笑いたくなったら、困ります、と私が言うと、

「もし、お通夜の席なんかで笑いたくなったら、そこらのお供えの花の中に首突っ込んで笑いなさいよ。そうすりゃ肩をふるわせて泣いてるように見えるから」

小松左京さんは、そこまで考えておいてくださる方だった。

井上ひさしさんの靴

私がラジオテレビのライターだったころ、井上ひさしさんとは有楽町のニッポン放送の仕事で初めてお会いした。次に偶然出逢ったときにこう言われた。

「チャンスがあったら活字のほうに行きなさいよ、放送の台本は用がすめば流されてしまうトイレットペーパーみたいなものだから。しかし、活字は週刊誌なら一週間、月刊誌なら一ヵ月、本になれば何年、何十年も残るからね」

放送台本だって秀《すぐ》れたものは立派に世に残っていくのだけれど、たしかにそこまでになるのは活字の世界より難しいのかもしれなかった。

そのころ私は、「岡田可愛です、お先に失礼」というディスクジョッキー番組を書いていて、放送の終わりには「構成は関容子でした」というキャプションが入る。あるときそれをたまたま車の中で聞いたという光文社の編集者から局に電話があって、仕事を頼みたい、とのこと。

このとき、井上さんの言葉がパッと閃《ひらめ》いて、私は即刻、光文社に出向く。すると、今、記者たちがストライキ中で「女性自身」の「吉永小百合の結婚直前講座」という企画を担当する女性記者がいない。それで内容を聞くと、味噌汁の作り方を田村平治さんに、ホームパーティーの開き方を飯田深雪さんに、男のお洒落を芦田淳さんに……結婚を間近に控えたという設定の吉永さんが一夜漬けで花嫁修業をする、というもの。多忙な吉永さんは写真だけで帰り、残った私が実際の取材をして、吉永さんの一人称で記事を書く、というものだった。

この楽しい連載は十二回ほどだったが、私はそのまま光文社の仕事を続けることになり、次は「言葉の力をつけよう」という企画。その解答者となるのが井上さんで、ほかに慶應の池田彌三郎教授なども登場する。

思えばあのころ（昭和四十年代）の女性週刊誌は志が高く、表紙も今よりずっとスマートだった。

井上さんが放送作家として名を揚《あ》げたのはNHKテレビの人形劇番組『ひょっこりひょうたん島』（昭和三十九年から五年間）で、その声の出演者、熊倉一雄が主宰する劇団テアトル・エコーに『日本人のへそ』を書き下ろし、本格的に劇作家デビューを果たすのが昭和四十四年のこと。私はこのときからずっと恵比寿のエコー劇場に通って、『表裏源内蛙合戦』『十一ぴきのネコ』『道元の冒険』『珍訳聖書』と観続けた。

今でもエコーは恵比寿にあるが、当時は別の場所のもっと小規模なホールで、寄席のように靴を脱いで入るのが珍しかった。

井上さんのお知らせで、最初にエコーを訪ねたとき、出迎えてくれた井上さんが素早く私の靴を棚に納めてくださってびっくりしたが、「いや、僕は靴に触るのが好きだから……」などと冗談を言って、新進の劇作家はとても嬉しそうだった。

井上さんの芝居はどれも面白く、たとえば「脚気《かっけ》とハゲの共通点は？　歩けなくなる、有る毛無くなる」などと、笑いが随所に散りばめられ、それでいて見終わると深いテーマがあるのに気づかされる。

ずっと後に、井上さんの色紙を見たが、「むずかしいことをやさしく、やさしいことをふかく、ふかいことをゆかいに、ゆかいなことをまじめに書くこと」とあって、これは私のずっと心掛けるところとなった。

エコーの座付作者以降、井上さんの快進撃はめざましく、『藪原検校《やぶはらけんぎょう》』(昭和四十八年)は決定的な出世作となり、私はこの初演を西武劇場のこけら落とし、高橋長英、太地喜和子、財津一郎で観ている。

その十一年後、二十九歳の十八代目勘三郎がこの芝居を新橋演舞場の大舞台にかけた。あとで聞くと、これが歌舞伎以外で主役を演じた最初だそうだが、歌舞伎の初役は先輩が教えてくれて、その通りに演じられればまずはそれですむ。しかしこういう戯曲だと、稽古場へは何かしら自分で演技プランを考えていかなければならない。それが新鮮な体験だった。おそるおそる考えてきたように演じてみたら共演の岡田茉莉子、財津一郎、金内喜久夫といった大先輩が笑ってくれて、それが自信につながり、新作に挑むことの面白さを知ったという。

演舞場で『藪原』を観た翌年、昭和六十年に私の二冊目の単行本『中村勘三郎楽屋ばなし』(十七代目のこと)が出版された。井上さんに活字の仕事を、と言われてから実に二十年近く経っている。

井上さんはそのことをとても喜んでくださって、本の帯にこんな推薦文が寄せられた。

「この一冊に一代の名優がほとんど一生かかって貯《たくわ》えたものがすべて集められている。（略）教養小説と冒険小説とを同時に読んでいるような贅沢《ぜいたく》な気分になってしまうのである。名優の芸談はどうしてこうもおもしろいのだろうか。（略）これは近来、稀《まれ》な一冊である。」

そして、平成八年、私の『花の脇役』の講談社エッセイ賞を受けたときの選考委員のお一人が井上さんで（ほかに大岡信、野坂昭如、丸谷才一の諸先生）、その推薦理由は、とかく厳しく暗くなりがちな歌舞伎の脇役さんたちの芝居人生をつとめて明るく愉快に描いている、ということだった。これはまさしく井上さんがモットーとする「ふかいことをゆかいに、ゆかいなことをまじめに」書こうとした結果だと言える。

やはり井上さんは私の大恩人なのだった。


平成二十二年四月、井上さんは七十五年の生涯を閉じた。芝居を一つ仕上げるたびに身体の肉がげっそり落ちたそうだから、文字通り命を削る仕事だったのだろう。

亡くなる半年前の晩秋に、私は偶然お茶の水の山の上ホテルで井上さんにお会いした。ラウンジのソファーにもたれ、何だかとてもお疲れのご様子だったが、私に気づくとやおらにっこり手を上げて、ここへ来て座るようにとすすめられた。

それでお互いの待ち合わせる相手が来るまでの間、ちょっとだけ話ができた。「今、何を書いているの?」「すまけいさんのことです」と答え、私は熱心に話し始める。

元アングラの帝王と言われたすまけいさんが私は好きで、特に井上先生の『きらめく星座』の竹田という冴えないおじさん役の台詞が忘れられません。この芝居の舞台は戦時中の浅草、ジャズのレコード屋の娘が傷痍《しょうい》軍人と結婚して身ごもりますが、こんな大変な時代に生まれてくる子の不幸を思って、おなかに漬物石を押しあてようとしますよね。そのときに同居人の竹田のすまけいが、深い声で言うんです。

「この宇宙には約四兆もの惑星があるけれども、地球のような水《みず》惑星があるのがまず奇跡。その地球に生命体が誕生し、やがて人間にまで至ったのも、そこにあなたやわたしがいるのも、何億何兆もの奇跡の結果、だから人間は生きなければなりません。」

この長台詞が終わったとき、場内はしんと静まり返って、俳優と観客が酔ったようにうっとりとなります。そういうとき、私はつくづく幸せだな、と思うんです。

すると、井上さんが少し元気になってきて、やがてこう言った。

「作者はそのうっとりの場に居合わせる幸せのために、身を削っているんだね」

石垣りんさんの砂糖壺

ある春の日、銀座三愛の角に出ている花の店で、たくさんの白いフリージアの中にところどころ黄色やピンクや紫のをあしらった花束を注文して買い求めた。そのころはまだあった丸子橋行きのバスに乗った。このバスだと時間はかかるが真っすぐに私の住む雪谷に帰れる。翌日の堀口大學先生訪問に備えてだから、昭和五十年代の半ばごろのことになる。

幸いバスは空いていて、私はその花束にときどき顔を埋《うず》め、ほのかな香りを楽しんでい

た。何度目かに顔を上げると、向かいの席にさっきからその様子を眺めていたらしい黒いベレー帽の女性と眼が合って、にっこりとする白い歯が見えた。あっ、石垣りんさん、とすぐにわかった。

それというのも、その何ヵ月か前、朝のテレビで詩人が自作を読むというシリーズがあって、とりわけ石垣さんが強く印象に残っていたからだった。

それは「旅情」と題する詩で……

ふと覚めた枕もとに
秋がきていた。
遠くから来た、という
去年からか、ときく
もっと前だ、と答える。
（中略）
未来とはこれからくるものを指すのだろう？　ときかれる。返事にこまる。
では過去の方へ行ったのか、ときく。
過去へは戻れない、

そのことはお前と同じだ、という。

秋がきていた。

遠くからきた、という。

遠くへ行こう、という。


静かでいながらきっぱりとした口調の朗読が、寂寥感《せきりょうかん》を漂わせながらも秋の空気のように爽《さわ》やかだった。

石垣さんはいつバスを降りてしまわれるのだろう、と案じながら見ていたが、とうとう私と同じ停留所までご一緒だった。

あのぉ、テレビ拝見しました、と言うのにはかまわず
「お花、きれいね。贈られた人の喜びと同じだけの喜びを、もうあなたがもらっちゃってるわね」

と笑い、私がその、ちょっとお気の毒みたいな、贈られびとは大學先生です、と答えたことから、長い立ち話になった。

ちょうど、「堀口大學聞書き」が月刊「短歌」に連載中だったので、掲載誌お送りします、と言うと、

「電話をちょうだい、どこかで会いましょう。私の電話は、ナニ〇ヨワムシというの。すぐおぼえられるでしょう」

と言って、お互いに何度も振り返りながら夕暮れの町で別れた。

それから間もないころ、石川台駅前の喫茶店で石垣さんと再会した。コーヒーが運ばれてくると、砂糖壺のふたを開け、サラサラのグラニュー糖の表面をスプーンの先でサッサッと掃きのけるようにしてからお砂糖を掬《すく》うのが不思議だった。

「私が小学生のころね、浅草雷門前の喫茶店で、どこかの学校の校長先生がちょっと席を外したすきに同席の者が砂糖壺に青酸加里を入れて毒殺した、という事件があったの。その話がとっても恐くて、疑い深くなって、こんな癖がついちゃったの」

石垣さんは大正九年、東京赤坂の薪炭商の長女として生まれた。四歳で生母と死別し、それから三人の義母に育てられる。赤坂高等小学校を卒業すると日本興業銀行に事務見習いとして就職し、一家を支えた。

人に迷惑をかけず、学んだり、好きな詩を書くために収入を使いたいので、生涯独身を通すのだという。

教科書にも載っている「表札」という詩。

自分の住むところには
自分の手で表札を出すにかぎる。
（中略）
精神の在り場所も
ハタから表札をかけられてはならない
石垣りん
それでよい。

戦後の女性詩人の代表的存在として茨木のり子と双璧と言われる人。名前のように凛《りん》として生きる孤高の人を、私はただ黙って打ち眺めるばかりだった。

石垣さんの住むマンションは中原街道沿いにある。別れ際のこんな呟《つぶや》きを聞いた。

「暑いわねぇ。私の1DKにいろんな本が送られてくるけど、詩集だけは捨てられなくて、お風呂場は占領されるし、壁際も山積みになってコンセントがかくれちゃったから、扇風機も使えないの」

それで次からは、この掲載誌ではなく、私のところのコピーを送ることにしよう、と思ったのだった。

そのころ私のところにいた柴犬のムン太を連れての散歩の途中、石垣さんとよく出遭った。商店街の小ぶりのスーパーマーケットの脇道に犬を待たせて、急いで買い物をすることがあったが、ある日のこと、「表にジャンがいたから、あなただろうと思って」と、石垣さんが笑いながら入ってきた。ジャン？　と不審に思いながら、あぁ、コピーを読んでくださってるのだ、と嬉しかった。

それは……昭和十年代に詩人のジャン・コクトーが来日し、大學先生が歌舞伎座へ案内して一緒に六代目菊五郎の『鏡獅子』を観る（この前シテ後シテがのちに『美女と野獣』創作のヒントとなった）。

感激したコクトーと楽屋の六代目を訪問。次の役のために手に白粉《おしろい》を塗っていた六代目との固い握手は遠慮して、コクトーはただ手をそっと添えるだけに止《とど》め、六代目もその配慮に感じ入る。その光景を大學先生がじっと見つめる。

この話を伺って、私が興奮しながら大學先生に、うちの犬も雨の中を一緒に帰ってきて、つい私が「お手」と言ってしまったら、泥の手をそっと添えるだけにしてくれて……。すると大學先生が静かなお声で、「その犬をジャンと改名なさいね」とおっしゃった、という話。

この改名をちゃんと実践したのは、実に石垣さんだけなのだった。

石垣さんとはその後も何度か偶然にお会いしたが、あまりお見かけしなくなってしばらくした平成十六年十二月、心不全のため亡くなられたと、新聞で知る。八十四歳だった。最後にお会いしたのも雪谷の路上で、ちょうど私の庭に合歓《ねむ》の花が咲いているのでいらっしゃらない？　と誘うと、じゃあちょっとだけ、とついていらした。

道々伺った話。石垣さんの生母の出生地は静岡県の西伊豆なので、いつか気になって調べてみたら、県の花はつつじ、木は木犀《もくせい》と知ってがっかりし、「もし私が決めるなら花は合歓、木はお茶の木、ついでに鳥なら目白だわ」とのこと。花の色は淡く、木は地味で、鳥は小さいのがいい、といかにも石垣さんの好みらしい。

私より十五歳も年上だったことを訃報で知ってちょっと驚く。いつも快活に接してくださっていたし、どこで出遭っても身だしなみはきちんとして、薄紅をさした笑顔が美しかった。

これは向こう見ずなことに、詩人に捧げる私の追悼句。

合歓咲いて詩を書くひとの紅の刷毛

早坂暁さんのメモ

あるとき、歌舞伎座のかなり後方の角席《かどせき》に早坂暁さんがいらしているのを見つけて、少し立ち話をした。以前テレビ局で紹介されて、まだ顔見知り、という程度のころだった。早坂さんが渥美清と親しい仲なのを知っていたので、ちょうどそのお席あたりに渥美さんがやはり一人で、全身で周囲の人の眼を拒むような姿勢で、じっとしておいでなのを見ました、と言った。早坂さんが笑って次の幕間になるとすぐに喫茶室に誘われ、渥美さん

の思い出を語ってくれた。その年（平成八年）の夏、渥美さんは六十八歳で亡くなってい
て、まだ間もない秋のころだった。

「渥美ちゃんと出遭ったのは浅草の銭湯の中でね、当時僕は学生運動で公安からマークされていたんで、浅草に潜伏していた。それで昼間の空いてるときに銭湯に行って、じっと湯舟に身を沈めていたら、ドーランの化粧のままの四角い顔の男がポチャンと横に入ってきたんで、僕は自然と顔をそむけたら、どしたい、兄ちゃん、なんかまずいのか？　って。ちょうどフランス座というストリップ劇場でつなぎのコントに出てるころで、僕より一つしか上じゃないのに、かなり兄貴に見えた。金はあるのかい、って訊いてくれて、上野の稲荷町にあった生家まで一緒にブラブラ歩いて、おふくろさんに玄関で、こいつ困ってるらしいから小遣いやってよ。それで外へ出るとすぐ、いくらもらった？　半分よこせよ、って（笑）」

それからは急速に親しくなって、早坂さんはフランス座に入り浸るようになる。

「幕切れに横一列になって女の子が踊ってるとき、渥美ちゃんがいつの間にか隣に来て、どうだい、気に入った子がいたら、つなぐよ、って。それで即座に、あの真ん中の子がいいな、と言ったら返事をしない。じっと横顔を見つめたら、ダメだよ、あれは俺のだ、って（笑）」

「つなぐよ」というのがいかにもの言い方で、さすがに耳は確かなもの、と感じ入った。

ついでに私が、渥美さんは歌舞伎にはいつも一人で、当日売りで目立たない席にそっといらしてて、あるとき勘三郎（当時は勘九郎）さんが野田版でない『研辰《とぎたつ》の討たれ』で、客席中を逃げ回り、空いている席にポンとかけたら、隣が渥美清さんで、「ご苦労さん」と言われて驚いた、と聞きました、と話す。

早坂さんが「ご苦労さん、がいかにもだね」と勘三郎さんの耳の確かさを褒めてくれた。

それからしばらくして、早坂さんからお声がかかり、富山のチューリップテレビのテレビドラマ審査員として富山市まで同行することになった。そのころ私は文化庁主催の芸術祭参加作品、ドラマ部門の審査を毎年続けていたが、これは上野の日本芸術院に数日通うだけなので、地方出張は嬉しかった。

審査はまず朝九時から夕方六時ごろまで、一室にこもってテレビの画面と睨《にら》めっこ。七人ほどの委員が横一列に腰をかけ、薄暗い部屋で二台のテレビを見つめながら、私以外はヘビースモーカー、という状況。三日目の午後、私はとうとう貧血気味になって、別室で休ませてもらった。

するとその晩、早坂さんがドラマの概要とその評価を記したメモをそっと手渡してくださった。私の脳裏に十歳上の兄がよく宿題をやってくれた昔がよみがえり、五十一歳で早逝した兄のことを夢中で早坂さんに語り続けた。旅先のことで時間はたっぷりあるのだった。

「よっぽどお兄ちゃんが好きだったんだね」

と、早坂さんがしみじみ言うので、ええ、私がまだ小学校にも行かないころ、今にお兄ちゃんのお嫁さんになる、と言ったら、母が「何言ってんの、お兄ちゃんのお嫁さんにはなれないのよ」と笑うので、子どもの幼い頭で一生懸命考えて、それなら私、電気屋の伯父さんちにもらわれて行く。ちょっとの間離れていれば、あとはずっと一緒にいられるから……って。そしたらまた母が、「何言ってんの、この子は。そうは問屋が卸さないの」って。

早坂さんはちっとも笑わず、しんみりとなってこう言った。

「東京でいつか僕の妹の話をするよ」

早坂暁さんは昭和四年八月、四国遍路道の商家に生まれ育った。勧工場《かんこうば》といって、百貨店の前身のような店だそうだ。

ある朝、店の前に女の赤ちゃんが捨てられていて「そのままうちの実の子どもとして育てられて」と早坂さんは言う。

「それが不思議なことに、店の者も近所の人も、誰一人そのことを口にする者がなくて、まっすぐに、明るい女の子に育つわけですよ」

やがて早坂さんは旧制松山中学校を卒業し、海軍兵学校在学中に終戦となり、すぐに帰郷することになる。

「夜遅く、列車が広島駅をゆっくりゴトンゴトンと通過するときに、窓から見た光景は、今思ってもゾッとする。青い燐光《りんこう》のような、地獄の業火のような、これが鬼火かというようなものが、一面の焼野原のあちこちから燃え立っていて……」

早坂さんは母親が見てもすぐにはわからないくらい痩《や》せ衰えて帰ったが、そこに妹の姿がない。

「母が言うには、空襲がいよいよ激しくなって、いつ死ぬかわからないようになってきたので、ある朝、こんなふうに言ったそうです。これまでかくしてきたけれど、実はお前は捨てられていた子で、私たちと血のつながりはないんだよ、まあ、だからお聞きよ、お兄ちゃんのことを本当に好きになってもいいんだよ、って。妹の顔がパッと輝いて、どうしてもこれから海軍兵学校へ面会に行く、と言い出して、いくら止めても聞かないで、うちを出たのがよりによって原爆投下の前日、八月五日のことだったとか」

広島に着くのが予定よりも遅くなり、女の子のことなのでやむなく宿屋に一泊、翌朝早く兵学校（当時は広島県安芸郡江田島村）を訪ねるつもりだったのだろう、それがまたよりによって、爆心地に近いところに宿屋がたくさん集まっていて、と早坂さんは悔しがる。私はただだじっと言葉もなく、静かに語る早坂さんの話に耳を傾けるばかりだった。

早坂さんが何回も「お兄ちゃんのこと、本当に好きになってもいいんだよ」を繰り返す。別れ際に、このことを書いてもいいですか？　と私が訊くと、いいけど僕がドラマに書いてからにしてくれない？　とのことだった。

それから何年もの月日が流れ、平成二十九年の十二月、突然早坂さんの訃報に接してびっくりした。その日、都内の外出先で体調を崩し、病院に搬送され、腹部大動脈瘤破裂のための急逝で、八十八年の生涯だった。

最後の脚本『春子の人形』の第一稿ができ上がった二日後の死で、早坂さんの代表作『花へんろ』の特別篇として、このドラマが放送されたのは、翌年八月のことだった。

春子という名前も、赤子が人形と一緒に生家の軒下に置かれていたことも、私は聞いていなかったので、改めて感動した。もし、早坂さんがご存命なら、放送のあとにきっと電話があったことだろう。それもいつものように、

「もしもし、妹……さんですか」という呼びかけで。

歌舞伎役者の章

十七代目中村勘三郎さんの挨拶文

多くの人に親しまれ、愛された十八代目勘三郎が亡くなって、あっという間に月日がたつが、その父である十七代目の舞台を実際に観たという人が年々少なくなるのも当たり前のことかもしれない。時の流れは過酷《かこく》と言える。

私が最初の単行本『日本の鶯——堀口大學聞書き』を書き上げて、さて次のテーマは、となったとき、まず思いついたのは詩人の聞き書きシリーズで、そのころまだ西脇順三郎、

草野心平といった大詩人は健在だった。

でも、どのようにしてアプローチしたものかと悩んでいるときに、例によって銀座のバーで出会った戸板康二さんの口から、サッと出たのが「中村勘三郎」だった。

「中村屋は名うての機嫌買い、お天気屋だから、好き嫌いが激しい。だけど、もし気に入られなかったとしても、あなたの身内に歌舞伎関係者がいるわけでもなさそうだから、不都合なことはあるまい。そのかわり、もし気に入られたら、これは話の宝の山に分け入るようなものだよ。挑戦してみる気なら、来月、中村屋は歌舞伎座だから、紹介状を書いてあげよう」

私は即座に、ああ、詩人シリーズはやめにして、各界の「王様と私」シリーズに切り替えよう、と考えを改めた。つまり、大詩人（大學）と私、大名優（先代勘三郎）と私、そして次が大画伯（梅原龍三郎とか）と私、その次は、噺家《はなし》名人（志ん朝とか）と私。しかしこのプランも、じきに潰《つい》え去ることになる。なぜなら歌舞伎役者は詩人や画家のように点在してなくて、楽屋はいつも賑《にぎ》やかなので、足繁く中村屋を訪ねるうちに次々おなじみが増え、どっぷり歌舞伎漬けになってしまったからだった。

十七代目とはその後ずいぶん銀座の名店にお供することになるのだが、初対面は意外なことに京都南座の楽屋。なにかの取材で冬の京都に行き、南座の前を通りかかると、ちょうど師走の顔見世で、それが昭和五十五年のこと。

ふと見上げると、招き看板の「中村勘三郎」の勘亭流の文字に招かれているような気分になり、そのまま角を曲がって楽屋口へ行ってみた。すると楽屋番のおじいさんが丸椅子に腰かけて暇そうに新聞をひろげている。眼鏡の奥からギロリと私を見るので、「あの、勘三郎さんは……」と小声で言ってみると、思いがけなく「四階」とエレベーターを指さして、すんなり通してくれた（その後、どこの楽屋の関所も厳しくなり、「約束の確認」がとれなければ通行はなりがたい）。

四階で降りて途方にくれていると、折よく中村屋最古参の弟子、小山三《こさんざ》さんが通りかかり、「なあに？」と声をかけてくれた。

それで、まず若い勘九郎さん（のちの十八代目）に事情を話して取り継いでもらえれば、という気になって、「あの、勘九郎さんは」とおずおず訊くと、「今、舞台よ」と、にべもない。「では、勘三郎さんは」とまたもおずおず。すると芝居の遣手《やりて》役そのままに「いったい全体、どっちに会いたいのよぉ」とじれた。それでも親切に中村屋に訊いてくれて、「今、顔（化粧）をする前だから、五分だけなら会いますって」と、案内される。

南座の楽屋は歌舞伎座に比べて狭かったが、それでもたくさんの花に囲まれ、鏡台前の厚い座布団の上に、芝居の松浦の殿様（『松浦の太鼓』）のように中村屋がゆったりと座ってこっちを見ていた。私はドキドキしながら手を仕え、こんなふうに言ったと思う。

「私は、詩人の堀口大學という方のお話を伺って、一冊の本にしましたが、今度は先生のご本を書きたいと思って、お願いに上がりました」

中村屋のことを「先生」と呼ばないといけないことは下調べがしてあった。

中村屋は、ちょっとあごを引くような形になり、私をじっと見て（この形はあとでよく見ることになる）、京風に言えばこんないけずを言った。

「ちょっと、もう二分くらい経っちゃったよ。あと三分で本書くの？」

いいえ、あの今日はお願いにだけ、としどろもどろになっていると、初めて私の名刺に目を留めて、

「ああ、東京なんだね。今、あんた芝居観てたの？　そうじゃなくて、よくこの時間がわかったね、あと五分遅かったら、会わなかったよ、よし、信用しました。来月、正月興行は歌舞伎座だから、いらっしゃい。僕の楽屋の直通を教えよう。銀座5〇〇の3007、スリーゼロゼロセブン！」

と、胸を張って笑顔になった。

こうして私の歌舞伎界出入りへの扉が開かれた。

まずは南座楽屋番の確認省略があり、次に小山三さんの気まぐれな親切があって、最後に偶然のタイミングのよさを縁と感じる中村屋の感性があった。

中村屋の楽屋に通いだして半年後に、私の『日本の鶯』が日本エッセイスト・クラブ賞を受賞した。中村屋は自分の小鳥が品評会で入賞でもしたかのように喜んで、「パーテーをやろうよ」と言ってくださったが、ちょっとした病気になって入院する。

それでも、小人数の会は銀座で開かれて、その出席の顔ぶれがすごかった。山本健吉、戸板康二、小沢栄太郎夫妻、青木雨彦、小田島雄志、愛川欽也、吉行和子、山藤章二夫人、井上ひさし夫人、あとは編集者が数人、というもの。

そこに思いがけなく中村屋から長文の祝電が届く。いつかの大學先生からの優美な祝電（今宵《こよい》の晴れやかなお姿をしのびながら……）とは打って変わったいかにも中村屋らしい愛嬌《あいきよう》たっぷりの文面を、なんとぜいたくなことに、名優小沢栄太郎さんが読み上げてくれた。

「（えー、）このたび、関容子さんがなんとやらいう賞をいただかれ、その賞の名が難しいので申せませんが、なにしろ喜んでいます。パーテー、（いいですか？ パーティーじゃなくて、パーテーですよ）に出たくてたまりませんが、風邪《かぜ》をこじらせて伺うことができません。とにかく、本日はおめでとうございました。中村勘三郎」

この祝電が大受けして、あとはスピーチも打ち切りとなり、ただなごやかに談笑して、思い出深い会になった。


それからしばらくして元気になった中村屋の楽屋へ再び通いだした。

ある日、訪ねると中村屋が電話中なので、次の間に控えていると、こんな話が聞こえてきた。

「あのねぇ、僕の所に通ってきてるんだ、その子がね、前に詩人の堀口大學って人の本を書いて、もうひっそりとしていたその人が、その本で見直されたかどうかして文化勲章もらっちゃったらしいんだ」

すると相手が、中村屋さんはもう、文化勲章はもらっちゃったじゃない？　と言ってるらしい。

「え？　じゃあ、僕の本ができたらなにをもらうのかって？」

中村屋が私のいるのに気がついて、ちょっと照れながらこう言った。

「そうねぇ。いい戒名でももらうんでしょ」

先代の中村屋と何度か行った銀座の店に、カフェ・ド・ランブルがある。新橋に近いコーヒー専門の喫茶店で、最近何十年ぶりかに一人で行ってみたら、まさかと思った当時のご主人関口一郎さんがご健在なのにびっくりした。おん年百二歳とのことだったが、平成三十年三月、百三歳で天寿をまっとうなさったそうだ。

関口さんは私のことを覚えていてくださって、中村屋は夏だとまず冷たいコーヒー、「琥珀《こはく》の女王」、それから温かい「ジャマイカ」。冬だと順序が逆になる、と確かな記憶力を披露された。

ほの暗い室内の感じは昔のままで、鉤《かぎ》の手になったカウンターの一番奥、中村屋の指定席もそのままあった。私が約束の時間にうかがうと、もうそこに中村屋が座っていて、黒ぶちの眼鏡の奥からのぞきこむようにして軽く手を上げる。その姿が見えるような気がした。

あのとき中村屋から聞いた「へんな梯子酒《はしご》」の話を思い出す。

昭和十年十月、中村屋が二十六歳のときに松竹から東宝に移籍して、大枚の契約金を手にしたので、まず買ったのがクルマ。アメリカ、グラハムページ社の、背の低い、幌《ほろ》のついた洒落たクルマだった。

「あのころの僕は酒飲みだったから、自分で運転できないんで運転手を置いてね、銀座のバーをクルマで梯子する。降りないで窓ごしに『おくれ』って言うと『あら、波野さん』って、女の子がアブサンを持って出てくる。それをグーッとあおって、『ハイ次!』なんてね」

中村屋は、私が取材に通っているころはとっくにお酒は飲まなくなっていて、クルマもキャデラックだった。

当時の勘九郎(のちの十八代目)さんにはなにかと助言をもらったが、このクルマについても、

「今のうちにうんと乗っけてもらっとくといいよ、僕はあんなでっかいクルマ、持たないからね」

と言われたのだった。

日比谷公園にほど近い富国生命ビルの地下にある「藪蕎麦《やぶそば》」は、当時、中村屋夫人の経営だった。

そこにも何度かキャデラックでお連れいただいた。中村屋の注文は決まって「おかめ」。好き嫌いが多くて、あまりいろんなものは口にされない。ここではこんな話を聞いた。

「家内と結婚記念日だったかに、帝国ホテルでフランス料理、って言うからつきあったら、

その注文がものすごい。カタツムリだとか鴨《かも》だとか羊だとか。スープは？　って訊いたら、タートルがいい、って。え？　タートルって、海亀？　お前さん亀食べんの？　あぁやだやだ、って先に帰っちゃった」

六代目菊五郎の長女、久枝さんと中村屋は、なんとお見合い結婚だった。東宝移籍から二年で松竹に復帰、大阪の芝居に出ていて三年目のことで、十五も年の離れた久枝さんを、それまでに一度しか見たことがなかったそうだ。それは八代目幸四郎（初代白鸚）と初代吉右衛門の長女、正子《せいこ》さんとの婚礼のときで、あの娘さんならさぞきれいになっているだろうな、と思い、会ってみる気になったという。

そんな話をしていてお蕎麦がくると、中村屋はテーブルの下をのぞくようにして、

「この脚をちょっとずつ切って、も少し低くするといいね、蕎麦をたぐり上げるのに、そのほうがきれいに決まる」

いかにも役者の意見、と思って聞いた。

中村屋の聞き書きは締め切りのない書き下ろしだったので、四年もの歳月を費やすことになった。

その間《かん》、十八代目の「天気予報」に助けられ、「今日の親父の機嫌は、嵐だよ」という

ときは接近しなかった。

あるとき私がお宅に電話をすると、「ハイ」と元気な声がしたので「あの、関容子と申します」と名乗ると、「ずいぶん他人行儀だね」とすぐに中村屋のいつもの声になったので「あ、勘九郎さんかと思ったので」と言ったら「なんだ、そんなに若い声だった？」と、たちまち日本晴れになるのだった。

なかなか本にならない長い取材をもどかしがって、「もういい加減、書けてもいいんじゃないの？　早く本出して、パーテーをしようよ、パーテーを」というのが続き、ようやくゲラの段階までこぎつけると、「読むの面倒だから、読んで聞かしておくれ」となった。

そこである日、私と作者部屋の竹柴徳太朗さんが小日向の中村屋のお宅に伺い、交替でほとんど一日かけて「本読み」となった。歌舞伎の「作者」というのは、書き抜きを書いたり、役割帳などをつくったりする人で、時にプロンプターの役もつとめる。

中村屋はうなずいたり、笑ったりしながら熱心に聞いてくれて、そのうちとても静かになったと思ってチラリと見ると、うっすらと涙を浮かべた顔をパッとそむけたりした。

その日、中村屋は上機嫌で、なんの注文もなかったが、何日かして、私の地の文の「中村屋」というのを「先生」に変えてほしい、という要望が伝えられた。

私は困って、文章の師と仰ぐ丸谷才一先生に相談すると、

「先生というのは粋じゃないね。ではこう言ってごらんなさい。本は私の舞台です、もし、私が、鏡獅子の弥生を上手から出ないで下手から出てください、とお願いしたら、先生はそうしてくださるんですか？　って」

まさかこんな喧嘩腰みたいな台詞《せりふ》はそのまま使うわけにはいかなかったが、まずは「先生というのは粋じゃない」から始めてみた。

「僕がみんなに先生と呼ばせるのは、昔、大部屋の子役たちが「旦那《だんな》」と呼びかけるのがなんだか哀れに聞こえて、いやでね。「先生」なら、学校へ行ってもそう呼んでるんだからいいと思って、それで先生にしてるんだよ」

つまり、「先生」は中村屋の言葉に対する感覚の繊細さに由来するもので、決していばっているわけではなかった。それがわかって嬉《うれ》しかったが、でも、ゆずるわけにはいかない。そこでこんなふうに言ってみた。

「私も普段はこうして先生とお呼びしていますけど、文章に書くとなると、生意気なようですがそれは舞台で芸を見せるのと同じことになると思います。私は歌舞伎役者に「先生」は似合わないと思うので、自分の本にそう書くわけにはまいりません」

すると中村屋はしばらくまばたきをくりかえしていたが、大負けに負けてくれるときのお店の主人のように、こう言った。

「いいよっ。だから俺は学問した女は嫌えなんだ」

こうして『中村勘三郎楽屋ばなし』は世に出て版を重ね、ある新聞の書評欄に、私の苦労話が載ったのが、中村屋の目に留まったらしい。

楽屋に顔を出すのを待ちかねたようにして、中村屋がこう言った。

「あんた、冗談じゃないよ、中村屋の機嫌の上下があるのでたいへんだった、なんて。よく言えたもんだよ。こっちのほうがよっぽどたいへんだったんだ」

そう言って中村屋は気を変えると、

「幕になったら来なさいよ、帝国ホテルのなか田に行こう。僕はのり巻と卵焼きしか食べないけどね」


丸四年かかった『中村勘三郎楽屋ばなし』の出版記念パーティーは、昭和六十年一月末に、帝国ホテル富士の間で開催された。

その案内状に、中村屋の挨拶《あいさつ》文が載り、「ある日突然私の楽屋にかわいらしい人が来て……」とあってびっくりした。そのころでもう、とうに四十は過ぎていたのに。

発起人の戸板康二氏や松竹の永山武臣副社長（当時）と並んで、紋付、袴《はかま》姿の中村屋の横に立ち、六、七百名のうち大半が花やかな芸能人、というお客さまを迎えたが、思えばあれは私の人生最高に輝かしい日の一つだったと言える。今、お名前を思い出すだけでも、中村歌右衛門丈をはじめとする大方の歌舞伎役者、作家の川口松太郎氏、村上元三氏、草柳大蔵氏、平岩弓枝さん、俳優の鶴田浩二さん、勝新太郎さん、木暮実千代さん、森光子さん。その中で唯一私がお声がけして来ていただいたのが、テノールの五十嵐喜芳さんで、会場入口で出迎える私の前にパッと両脚をそろえて立った長身の姿は、まるでオペラ『トスカ』のカヴァラドッシだった。

もちろん私の母も歌舞伎好きの仲よし友達と二人、思い切りお洒落して現れて、あちこち役者の素顔見物で楽しそうだった。これで一生ぶんの親孝行ができたかと思っている。

富士の間の、かなり高めで舞台のような壇上に中村屋と並んで立ち、いろんな方々の祝辞を聞いた。

歌右衛門さんは開口一番、

「まぁ〜、中村屋さんは、なにを召し上がっていらっしゃるのか、ほんとうにお若くて……」

と始まるが、終わりに私のほうをチラと見て、

「この次は、このご本の次はですね、ぜひ、あたくしのことを書いていただきたく……」

と締めくくり、拍手を受けて五段ほどの階段を下りようとする。下にいた永山さんがさっと手を差しのべると、大成駒がすかさず「由良さんですね」とにっこりした、とあとで聞いた。

これは忠臣蔵七段目茶屋場のおかるが二階から九ツ梯子《ばしご》を下りるときに、由良之助が手を貸すが、興行元の松竹さんを大星に見立てるなど、いかにも立女方《たておやま》の挨拶らしい、と感じ入ったものだった。

それから何人かのスピーチがあって、会の途中からいらしたらしい川口松太郎氏が話す番になった。このときが川口さんの公的外出の最後になったのもあとで知った。もう車椅子で、長男で俳優の川口浩さんのお嫁さん、清純派女優の野添ひとみさんがけなげに付き添っていた。

川口さんが、文士劇の弁天小僧などの名演で知られるよく通る声で話し始める。

「おかる勘平の道行で、『幸いそこの松かげで、しばしがうちの足休め』ってのは、ほんとにただ休むんじゃなくて、ちょっとそこで、しようか、ってことなんですってね、だから、おかるがあんなにいそいそ喜ぶんですってね、初めて知りましたよ、僕はこの本で」

舞台に上がらず車椅子からのスピーチは姿が見えないので、やがて会場がザワザワと騒がしくなり始めた。するとさすが『鶴八鶴次郎』や『明治一代女』の作者で、いかにも新派の演出家らしい手腕を発揮して、みごとにこれを鎮めてしまった。

その手腕とは、

「ちょっとぉ、関さんてどの方?」

ステージには中村屋と私の二人しかいない。どの方? とはなんだろう、とたちまちシンとなる。

「ああ、あなたですか。あなた、うまいですねぇ、感心しました」

と終わる。会場から起きる大拍手。中村屋が眉を八の字に下げ、くしゃくしゃな笑顔で舌を巻いていた。

パーティーが終わって数日後、川口さんから本が届いた。高峰秀子著の『人情話松太郎』で、川口さんの手書きのメモが添えてあった。

「こんな本が出ました。あなた、勉強なさいね。松太郎」

川口さんが亡くなったのは、六月九日。まだ四ヵ月ほどの間があったのに、なぜ、お目にかかりたいと礼状に書かなかったのだろう、きっとなにか洒脱《しゃだつ》でいながら奥の深いお話が聞けたことだろうにと、今になって悔やんでいる。

さて、『楽屋ばなし』の出版パーティーの話に戻る。

中村屋はこんな挨拶をしてくれた。

「あたしはこんないい男でも立派な人間でもありません。それをいい役に書いてくれて、ありがとう」

いい役に、というのがいかにも役者らしくて、おかしかった。

それにも増して印象的だったのは、混雑する会場の中をかきわけて、息を弾ませながら私に礼を述べてくれた十八代目の言葉だった。このとき五代目勘九郎は二十九歳。

「役者なんてものはさぁ、はかない商売なんだよ、観た人の頭ん中にしか残らないんだから。そこへ行くと活字は強いよ。サラ・ベルナールってフランスの女優が、船に乗ってて釘《くぎ》踏んづけたかして怪我《けが》したんだって。船医が来たらその人の指がなんだか汚らしかったんで、こんな手に触られたくない、ってんで断固拒否しちゃって、それが元で病気になって死んだんだって、ね、だれも彼女がどんな名舞台を観せたかは覚えてなくても、そういう話を本で読んで、語り継いでいくんだよ。ね、いかにもきれいな女優さんらしい、いい話じゃない」

そう言って、挨拶された知人のほうへ行きかけてすぐ戻ってくると、

「あ、だからさ、親父《おやじ》のこと書いてくれてありがとう。これ言うの忘れちゃいけないね」

この好青年の父、十七代目勘三郎は、出版記念パーティーの三年後（昭和六十三年）の

一月、歌舞伎座の『俊寛』の舞台を途中から降板して、その年の四月十六日に亡くなった。俊寛の代役は、まだ三十二歳の十八代目。鬼界ヶ島に一人取り残される俊寛僧都が、去ってゆく赦免《しゃめん》の船に向かって「(必ず)未来でぇ……」と悲痛に叫ぶ。あの世で逢おう、ということだ。十八代目が泣きながら言っていたのを思い出す。

しかし、パーティーから俊寛までの三年間の中村屋はすこぶる元気で、心閑《のど》かな毎日を送っていたと思う。

ある日、こんなことがあった。

「僕が昔好きだったリリアン・ギッシュの『嵐の孤児』って映画がかかってるらしいから観に行かない?」

リリアン・ギッシュはサイレント時代のアメリカの名女優。晩年の『八月の鯨《くじら》』はその後私も観ている。そこでまたキャデラックに乗せてもらって、岩波ホールに向かう途中の信号待ち。どうやら私立の小学校の低学年らしい女の子が三、四人、じゃれ合うようにふざけていた。中村屋は車の中からおもしろそうにその様子を見つめていたが、一人の女の子の笑った口に前歯が二本ないのを見つけると、笑いながらこっちを向いて、ため息まじりにこう言った。

「ヘッ、あんな無邪気な顔してて、いまにたんと苦労するんだけどね」

初代中村獅童さんの拍手

今、活躍中の中村獅童は、実は二代目。その父、小川三喜雄さんが初代獅童を名乗っていたが、十代で歌舞伎役者を廃業している。

私がその役者ではない元獅童さんと知り合ったのは、奥様である小川陽子さんと「銀座百点」の忘年句会メンバー同士で親交があり、ある法事の精進落としの席で、紹介されたから。

「私とこの人とはお見合いだったんですが、結婚を決心するきっかけになったのが（堀口）大學先生の歌なんです。何回目かに会ったとき、お宅に誘われたら、お部屋に直筆の額が掛けてあって、ぐっときました」

その歌とは、

さかしまにものいふくせもみづからのこのさびしさをわすれんがため　堀口大學

三喜雄さんが役者をやめるについての武勇伝は、今もかなり語り継がれている。

あるとき『喜撰《きせん》』の所化《しょけ》役で弟の錦之助（のちの映画スター萬屋錦之介）と賀津雄（同、中村嘉葎雄）と、少年三人が居並んでいたが、その舞台稽古のとき、ある大幹部役者に錦之助が何かできつく叱られ、「やめちまえ！」とまで言われる。とりわけ弟思いの三喜雄さんがカッとなって、お迎え僧の青いかつらをその大幹部に投げつけ、そのまま花道を駆けて入って「俺がやめてやる」とばかり、家に帰ってしまった。

母親である三代目時蔵夫人、小川ひなさんは、のちに歌舞伎界のゴッドマザーと言われたほどの人物だが、恐縮してすぐにその大幹部宅に謝りに行き、一方で三喜雄さんを懸命に説得するが、頑《がん》として聞き入れず、それからは学業に専念して、外資系の銀行に就職する。

陽子さんは京都の造り酒屋の娘で、堅い銀行員と結ばれたつもりだったのが、途中から息子の獅童を役者に育て上げるのに全力をつくす、思いがけない方向に転じてしまった。陽子さんが百点句会に出席すると、いつも息子の舞台のPRに専念し、句作もその舞台の成功を念じる母ごころを詠むのが必ずあって、すぐ誰の句かわかってしまうのだった。三喜雄さんは少年のころ、家族全員で芝居の話に興じているときには蚊帳《かや》の外で、いつもじっと寂しさに耐えていたのだろう。

その昔、堀口大學の歌を見て、すべてを察した陽子さんは三喜雄さんの妻となり、ずっとのちになって、大學先生の謦咳《けいがい》に接したことのある私を、そこを糸口として夫に紹介する気になったのだと思う。

「この人も以前はずいぶん悪いこともしましたけど、今はまったく人畜無害ですから、安心して話し相手になってやってくださいね」

三喜雄さんは、家ではいっさい芝居の話はしないという。まして、息子の舞台など絶対に観に行かない、と言っているとのことだった。

三喜雄さんと最初に食事をしたのは、帝国ホテルのラ ブラスリー。このときは最近観た映画の話とか、父の三代目時蔵が子煩悩でハイカラ好き、舶来品でないと承知しなかった、というような話を聞いた。弟の錦之助が映画界で大スターになると、母のひなさんに説得され、銀行を辞めて東映のプロデューサーになったが、やがて時代劇全盛の時代が終わると、また実業界に戻って輸入会社を創設。これも父の舶来好きの影響でしょうな、と笑い、ポケットからプロポリスの製品を取り出してプレゼントされた。

三喜雄さんのやや高めで甘いかすれ声がスクリーンの錦之介の声によく似ている、と思ったものだ。

それからは恵比寿ガーデンプレイスでよく会った。恵比寿駅の改札口を出て、向かいの花屋の前に目をやると、いつもにこやかに三喜雄さんが立っていた。

さりげなくお洒落に気を使っていて、いつも靴がピカピカだったので、そう言うと、獅童が中学・高校のころ、何か褒めてやりたいことがあると、銀座に行って靴を買ってやる、というのが習わしだった、とのことだった。

別れ際にポツリと、今度獅童さんの芝居にご一緒しましょうか、と言ってみると、呆気《あっけ》ないほど簡単に承諾で、あるいはこれをずっと待っていたのかもしれなかった。

行き始めると、堰《せき》を切ったようになって、毎回お誘いがあった。幕があいて、まだ何もしてない獅童さんに向けて拍手を送り、見せ場では頭の上に両手を上げてパパパパッと超派手な拍手で目立っていた。

最後の観劇は平成二十年一月、浅草公会堂新春花形歌舞伎の『金閣寺』。獅童さんは国崩しと言われる松永大膳の大役を立派につとめ、隣の席の三喜雄さんが涙ぐむのを私は見ないようにした。

終演後、浅草今半の座敷ですき焼を食べながら、体調がよくないことを告げられ、結局その年の十月、胃癌のため七十九歳で亡くなられた。

その間、二度ほど杉並の方南町のお宅へお見舞いに行った。

「獅童は異端系の役者かもしれないけど、その個性を生かしてきっとよくなると思う。『義経千本桜』の知盛なんか、人の持ってないものを持ってる知盛だった。あの松永大膳も大きくてよかったね」

と満足そうだった。

三喜雄さんの死の二年後、獅童さんが主演する映画『レオニー』の試写会が、赤坂の草月ホールで開催され、小川家から丁重にそのお招きをいただいた。彫刻家イサム・ノグチの父である詩人で小説家の野口米次郎と、その妻レオニー・ギルモアを描いた作品で、獅童さんが米次郎役。

ところで、私はその二十何年か前に、勅使河原宏監督を『砂の女』のときに取材したことがあり、その後、草月会館の何かのイベントに招かれて、そのときなぜかイサム・ノグチ氏とゴー・ゴーみたいなものを出鱈目《でたらめ》に踊ったことがあった。もうそのころは、女優山口淑子の夫ではなかったが、点滅する照明に浮かび上がる彫りの深いノグチの顔を、今もはっきり憶《おぼ》えている。

それで試写会当日、会場に出かけてみると、案内された私の隣席になんと、花に埋もれた三喜雄さんの遺影が置いてあるのにびっくりした。

ちょうど三回忌に当たるころだったのかもしれないが、私が三喜雄さんを獅童の客席に誘い出したことへの陽子さんの感謝の気持ちを表した、その演出に感動した。

その後何年かして、NHKテレビの『ファミリーヒストリー』中村獅童篇への出演依頼があった。放映されるまで、どんな内容になるのかわからなかったが、三喜雄さんが弟をかばって役者をやめる場面では、さすがにかつらを投げつけたりはしなかった。

私の談話は、三喜雄さんが頭の上に両手を上げて、派手にパパパッと拍手、というところを採用されたが、ただ話すだけでなく、ちゃんとこう、両手を上げて実演するようにと、ディレクターに言われて撮り直しさせられた。つまり私が三喜雄さんを演じたことになる。

その映像をスタジオでじっと見つめる獅童さんの眼に涙が光るのをテレビで見て、つくづく私はよいことをしたのだ、生前、劇場に誘ってほんとによかった、と思うのだった。

六代目中村歌右衛門さんの花籠

歌右衛門の艶やかでいながら格調高く、ちょっと近寄りがたい威厳さえ感じる、生涯歌舞伎女方《おやま》に徹したその純粋さが好きだった。

私は子供のころからよく歌舞伎見物に通っていたが、成駒屋《なりこまや》にはじめて声を掛けられたのは帝国ホテル。十七代目『中村勘三郎楽屋ばなし』出版記念パーティー会場だったから、やはり銀座で逢ったひと、と言える。「この次は是非、あたくしのことを書いてください

ね」と、祝辞で艶然と長い微笑を送られ、『籠釣瓶《かごつるべ》』で八ツ橋花魁《おいらん》を見染める佐野次郎左衛門みたいに身震いが出た。でも、そう言われても『髪結新三《かみゆいしんざ》』のように道具箱を提《さ》げてすぐに楽屋を渡り歩くわけにもいかない。梨園とはどうやらそんなものらしかった。

やがて十七代目が昭和六十三年四月に亡くなり、それから何年かして成駒屋もだいぶお身体が弱り、在宅の時間が多くなったようなので、ためらいながら取材を申し込んでみると、すぐに快諾が得られた。

成駒屋の広々とした邸宅は世田谷岡本町の閑静な場所にあり、洋風の建物だった。アメリカ大統領の執務机のような立派な大机の向こうに、その姿はあった。

「まぁ、気楽に参りましょう」とのことなので、私の母が大の成駒屋ファンで、昔、私が中学生のころ購読していた雑誌「演劇界」の「好きなものはシュークリーム、ただし上等でなきゃ」という成駒屋の談話を二人しておもしろがり、それからは到来ものの味見をして上等だと「あ、これは歌右衛門！」……。ここまで聞くと成駒屋は機嫌よくその身をそらせて、「ねぇ、ちょっと」とお手伝いさんを呼ぶ。二、三人いるお手伝いさんは年輩の白い割烹《かっぽう》着姿の女性で、成駒屋が呼べば必ず誰かすぐに現れる。

程なく紅茶とシュークリームが運ばれてきて、「これ、さっきいただいたばかりだけど、どんなかね？」と、私がひと口食べるのを「先代萩」の政岡が千松《せんまつ》に毒見をさせているようにして、じっと見つめる。私が「あ、大成駒です」と答えると、「あら、よかったね。あとでお母様におみやげにお持ちなさいな」と、こぼれるような笑顔になった。

成駒屋はあんなに芸ごとや人間関係の礼儀などには厳しい人だったのに、普段は子供みたいなところがあり、動物や縫いぐるみが大好きで、テレビでも動物人形が踊る「サントリーの天気予報」や「文明堂のカステラ一番」のCMがご贔屓《ひいき》だった。

あるときお伺いすると、午後のワイドショー番組を熱心にご覧になっていて、そこにはテレビドラマの秀吉役に扮したままの十八代目勘三郎（当時・勘九郎）さんが映っていた。

「まぁ、あなたの前だけど、どうだい？　この威張りようは。自分の浮気を追及されてるのに、采配で、『微笑』出なさい、だなんて」

成駒屋はあくまで私を中村屋から回ってきた者として「あなたの前だけど」と断ってくれているのだと、何だかひどく嬉しかった。

成駒屋はこのやんちゃな勘三郎さんを目にかけて、時に厳しくダメ出しを続ける。こんな話を聞いたことを思い出した。

「怖いおじさんだったなぁ。かなり前に、おじさんが淀君で僕が大野治長って、淀君の情夫の役で出てたとき、毎日ダメが出る。二、三日叱られなくなって、楽屋へ挨拶に行ったら、『このごろは少しいいようだね』『はっ、有難うございます』『……天気のことだよ』って」

かいつまんでその話をすると、成駒屋も大笑いして、「そうそう、からかってやろうと待ってたのよ」と、ご機嫌が直ったようだった。

成駒屋は何ごとも一番でないと気がすまない人で、芸術院会員は史上最年少の四十六歳。文化勲章は六十二歳、芸能界初の勲一等生前叙勲に輝いたのが七十九歳のとき。五十二歳のときに、日本俳優協会会長だった三代目市川左團次が亡くなるとすぐに会長代行に就任し、二年後には正式に会長の座に就いて、八十二歳まで劇界に君臨し、女帝と言われた。

しかし成駒屋はただ君臨していただけではない。成駒屋の長年のお弟子、中村駒助さんから、こんな話を聞いた。

当時、歌舞伎座の楽屋口の横にあったとんぼ道場（稽古場）の屋根がボロボロになって、雨が降ると砂場が濡れる。それで三階の人たちがお金を出し合って自分たちで直していいものかどうか、駒助さんから成駒屋にお伺いを立ててほしい、と頼まれる。

「そうそう、直訴《じきそ》に参りました、ってあのとき駒助が来たのよね」

すると旦那が、集めたお金はすぐみんなに返しなさい、あたしがいいようにするから、って、すぐに立派に直って、旦那は男の中の男です、って駒助さんが。

「あらまぁ、それじゃ幡随院長兵衛《ばんずいいんちょうべえ》だわねぇ」

ところで私は、いつもこうして縁の下の力持ちで頑張っている人たちに光を当てるべく『花の脇役』という三階さんの列伝を書いたのだが、次の『虹の脇役』は平成八年から三年間、隔月で「銀座百点」に連載した。偶数月が掲載号なので、その月、三階さんたちは誰が取り上げられているかと歌舞伎座横の文明堂に駆けつけ、無料でもらえるこの雑誌の山は、あっという間に低くなったと聞いている。

成駒屋は『花の脇役』の出版記念会に日本俳優協会会長の肩書きで立派な花籠をくださったが、「旦那がたいそう喜んでます。女三界に家なしって言うけど、三階に関ありだねぇ、って」と、これは会場で、成駒屋一番弟子だった中村（当時・加賀屋）歌江さんから聞いた話。

成駒屋は平成八年四月、歌舞伎座で『井伊大老』の、愛妾《あいしょう》お静の方をつとめ、それが歌舞伎座出演最後となった。翌月、岡本町のお宅を訪ねると「ちょいと、あたし、（大老役の）播磨屋（吉右衛門）のおっかさんに見えなかった？」と、ご機嫌だった。

このところいつも四月はご出演で、私はお庭の枝垂《しだ》れ桜を見はぐれてばかりおります、

と言うと、

「あら、あたしがいなくたって見に来ればよかったじゃないの。来年はきっとね」

と、力をこめて答えてくれた。

そして八月末、国立劇場「藤間勘祖（初代）を偲ぶ会」で成駒屋は『関寺小町《せきでらこまち》』を一人静かに踊り納める。それが六代目中村歌右衛門の舞台姿の最後だった。

それから五年にも及ぶ長い闘病生活に入り、平成十三年三月三十一日に、一代の名優はその生涯を閉じる。その日のことは今も語り継がれているが、朝から春に似合わぬ大雪となり、夜にはそれがピタリと止《や》んで月が輝き、翌朝には満開の桜の雪も解け落ちて、まばゆいばかりの桜並木の映像がテレビに映し出されていた。

「雪月花を一日で見せるなんて、おじさんらしいすごい演出だね」

と勘三郎さんも驚いていた。

青山斎場での本葬の前に、岡本町で神式の葬儀があり、玉串を捧げ、行列に従って庭先に回り、ふと目を上げると、そこに成駒屋が愛したあの枝垂れ桜が、八分咲きの枝を風もないのに微笑むように揺らしていた。

何だかこれも大成駒のすごい演出に見えてくる。

十二代目市川團十郎さんのパフェ

團十郎さんに初めてじかにお会いしたのは、まだ海老蔵だったお若いころ、雑誌の対談会場として設けた銀座のホテルでだった。

対談の相手が到着するまでの間、司会の私がこんな昔話をして時間をつないだ。

「お父様の海老さまが妻子のあることをマスコミに公表なさってすぐあとのこと、浅草の仲見世を晴れてご家族で歩いておられるのを、母と私が見たんです。それでワクワクしながら離れてついて歩いて行くと、表通りの森永の売店の二階に上がって行かれました。母はずいぶんためらったのですが、私が何か飲みたいと言って……。見ると男の子には緑と白、女の子には赤と白のだんだらのパフェが運ばれてるところで、私もあの緑と白のを」

そこまで話したときにお相手が到着し、話は途切れたままになった。

このときのテーマは「カニ座があってエビ座がないのはなぜ?」という天体観測に関するもので、團十郎さんが荒事のスケールの大きさを「地球投げ」にたとえて言ったりして(これがのちに今の海老蔵さんによって舞台化されることになるのだが)、ユニークな発言が次々に出た。

このかなり長い対談が終わって、帰りの車までお送りするときに、團十郎さんがふと足を止めて、こう言った。

「そうですか。同じものを食べたんですか……」

私は一瞬、何のことかと思ったが、あ、さっきの私の話、とわかってびっくりした。

なんと誠実な、いい人なんだろう、と思ったそのときの印象は、その後何回もくり返しそんな場面に出会うことになるのだった。

團十郎さんとはずいぶんたくさんの対談を企画してご一緒していただいた。

平成二十四年の夏、国立能楽堂で成田屋が三升屋白治《みますやはくじ》の筆名で書いた『黒谷《くろだに》』が上演され、これは熊谷次郎直実《なおざね》が黒谷の法然上人のもとで修行する話だったので、私はすぐに僧籍にある方との対談を思いついた。

お相手は團十郎さんより十歳年若ながら博識の浄土宗布教師で『江戸名所図会』にも載る名刹《めいさつ》、乗蓮寺の若林隆壽住職、掲載誌は雑誌「浄土」だった。

住職はこの二年前の法然上人八百年大遠忌を記念して上演された京都の知恩院奉納歌舞伎でもこの作品を観ていて、團十郎さんが劇中で唱えるお経の「日中礼讃」の上達をまず褒めた。

すぐに打ち解けた團十郎さんが、闘病中の不思議な体験を語る。

「病院にずっと一人でいると、別の部屋から泣き声が聞こえてきて、ああ誰か亡くなったんだなと思う。すると私に、一緒に行ってくれ、俺だけじゃいやだから、という感じが来ます。金縛り状態みたいになって、リアルな感じでそう思います」

「どうご返事なさるんですか？」

と住職が訊ねる。

「今、私は行けないから、どうぞあなたお一人で行ってくださいい、って言いましたね、頭の中でですが」

さらに團十郎さんはこんな深い話をした。

「彼岸に行ったらわれわれの感覚でない時間が待っているかも知れませんね。『般若心経』には、色《しき》とか空《くう》というのが入ってますが、物質は無になるけど、無が有になることもあることをお釈迦様は既にわかっていらした。物質ではない、暗黒エネルギーというものを」

対談は十月末に行われ、すっかり意気投合したお二人は、京都顔見世観劇後の再会を約して、会場のタテルヨシノ銀座の店をあとにした。

その二、三日後に住職宛に届いた成田屋からの手紙にはこうあったという。

「先日はいろいろと勉強させていただき、楽しい一と時をありがとうございました。その折勧進帳のフランス語の題名を間違えたようで申し訳ございません。正確には、le registre de souscription でした」

直訳すると「寄進台帳」ということになるそうだが、若林住職も成田屋の誠実さにつくづく感じ入ったようだった。

團十郎さんとの最後の会食となった京都顔見世の夜。成田屋は少し疲れたご様子で本当は早く宿に帰りたかったと思うのに、律義に約束を果たしてくれた。知恩院古門近くの若林住職知遇のフレンチの店で、最初のひと皿のあとすぐに店の電話番号を携帯に打ち込んで、気に入ったことを示していた。赤ワインのグラスを白いナプキンの上に傾けて色具合を見るなど、名誉ソムリエの称号を持つ團十郎さんの上機嫌を表すのに十分な仕草だった。

東京ではその日、勘三郎さんの密葬が行われていて、話は自然に中村屋のことになる。

いつか、勘三郎さんの姉君波乃久里子さんのお宅に團十郎さんとそのご贔屓さまと一緒に招かれ、談笑していると、突然そこに同じ敷地内に住む中村屋が現れ、だんだん機嫌が悪くなって私に当り出したことがあった。

「勘三郎さんに無断だったのがまずいけなくて、そのうち新聞を遠く離して見てるのを、あら、若いのに、と私が言ったら、團十郎さんが大笑いなさって……」「え？　じゃあ結局、僕のせいということですか」と、またも弁慶のような豪傑笑いが、貸切り状態だった小さな店内に鳴り響いた。

終始にこやかに聞き役に回る住職に、来年三月、ル テアトル銀座の『オセロー』は、台詞《せりふ》覚えが大変、とぼやいて見せて、これの終演後は多分疲れ切って無理だろうから、翌四月の歌舞伎座新開場のあとに必ずまた会いましょう、仏教の話をもっと伺いたいからと、と固い約束を交わしていた。

成田屋はその二、三日後に体調を崩して南座休演となり、帰京して翌年二月三日、帰らぬ人となるのだった。

成田屋の葬儀に喪主の海老蔵さんによって披露された辞世の句に接して、衝撃が走った。

色は空　空は色との　時なき世へ

あの若林住職との対談のときに、語り合ったことが深く深く成田屋の中に根ざしていて、この境地に思い至ったのかと思うと、何やらもったいない気がして身内が震える。

のちに聞くと、團十郎さんは、一月十五日に気管に人工呼吸器を挿入されることが決まり、そうなると眠ったような状態になると知って、すぐにパソコンを持ってこさせてこの句を打ち込んだ、ということだ。

葬儀の席に座りながら、團十郎さんが何年か前にこんぴら歌舞伎で『三人吉三《さんにんきちざ》』を通しで演じたあとの感慨を思い出していた。

「これまで僕は人の命は地球より重いと思ってましたけど、この江戸時代そのままのような舞台に立ったら、作者の黙阿弥という人にはそんな感覚はゼロじゃないか、と思った。もともと人の命なんてはかないもので、死は生のすぐ隣りにある、というのが実感としてわかったんです」

團十郎さんは今は時間のない自由な世界に、大きくあたたかなエネルギー体になって存在している……と、そんな気がしている。

四代目中村雀右衛門さんのスコッチ

雀右衛門さんの舞台を初めて観たのは、昭和二十五年東京劇場、まだ大谷友右衛門（七代目）だったころで、宇野信夫作『恋慕の鐘』。恋を諦めた若い僧の海老さま（十一代目團十郎）の、「お照さんは鐘じゃ……」という台詞《せりふ》がまだ耳に残っている。このとき観た友右衛門は、他の女方の誰とも異なる瑞々しさで、生身の女を感じてハッとなった。台詞がときどき妙な間《ま》で途切れるのが独特で、何だかそれが可憐《かれん》でもあり、また、艶《なま》めかしく

もあった。私はまだ十代半ばだったが、そう感じた。

それから間もなく、あの友右衛門が映画に出て、それも『佐々木小次郎』の主演、と聞いてびっくりし、兄に頼んで日本劇場へ連れて行ってもらった。巖流という名乗りのせいで、それまで講談などではいかつい剣豪の感じで語られたが、村上元三の小説（原作）でいっきに美剣士のイメージに変わり、友右衛門の小次郎がそれを定着させた、とあとで知った。とにかく小次郎の二枚目ぶりに憧れて、私は娘時代をずっと小次郎ばりの髪型、ポニーテールで通している。


雀右衛門さんにそんな話ができたのはずいぶん時をへてからだった。

歌舞伎座の楽屋で化粧《かお》をしながらこう話す。

「僕は四年間も兵隊に取られていて、復員してくると、岳父の七代目幸四郎から女方になれ、と強く言われて、顔の作り方から何からみんな教えてもらったの。絵ごころのある人で、目のところにこう、黒くアイラインを入れるといい、とか、ぼかしはこうやって、とか、独特で、だからこの顔は親父さんの製法特許。作り終えたらこのうなじのところにポン、と親父さんのはんこをもらわなくちゃいけないの」

七代目松本幸四郎は、戦後の歌舞伎界を背負って立った十一代目市川團十郎、八代目松本幸四郎、二代目尾上松緑、そして雀右衛門夫人となり早逝した晃子さんたちの父親。「この、うなじのところにポン」の所作が、何とも無邪気でコケティッシュ。このとき私は平成十三年三月に亡くなった歌右衛門さんの思い出を聞きに行き、その年の正月に京屋が演じた『熊谷陣屋』の相模《さがみ》に独特の女の肌身を感じた、と言ったのだった。

「あら、嬉しい。これまで成駒屋の兄さんが相模だと僕は藤の方で、兄さんを見ていて、うまいなぁ、どこがどううまいのかなぁ、と思ってたんですよ。でも今年、熊谷と相模は昔しのび逢ってた仲で、それがまだ残ってる夫婦だ、ってことに気づいたんです。そしたら自然に身体が前に出るようになって、夫の話に膝が前に進み出て、思わず身を乗り出す。『寺子屋』の源蔵夫婦にしても、不義者としてお手打ちになるところを助けられた過去があるから、もっと身体を寄せるとかで表現してみよう、って、このごろやっとわかった気がするの」

あぁ、身を寄せる！　『東文章《あずまぶんしょう》』の桜姫ならいざ知らず、これからは純然たる時代狂言の女方にもその解釈が及ぶのか……。そこで、京屋の相手をつとめる若い立役《たちやく》さんの間で「雀右衛門おじさんの肉迫」というのが評判です、と言ってみると、「その肉迫の話はあとで飲みながら聞きましょう」と、首を傾《かし》げてにっこりする。

雀右衛門さんはお住まいに近いホテルオークラのバーに高級なスコッチのボトルを入れていた。お弟子の京蔵さんの話では「旦那は何でもバーの言いなりなんです。ああ、いいよ、いいよ、って、超高価なのが入ってますよ」ということで、とても楽しみだった。

そこで勘三郎（当時・勘九郎）さんから聞いた『盟三五大切《かみかけてさんごたいせつ》』のときの肉迫ばなし。

「昼の部の序幕からおじさんと俺の濡れ場があるんだ。朝の十一時十五分くらいに船の中でいい年をしたおじさんの芸者小万《こまん》と俺の三五郎が抱き合って……もう世界中で考えられないよね、そんなこと。それで、小万のふところへ手を差しこむんだけど、いつも着物と襦袢《じゅばん》の間に入れるのに、その日は直接入っちゃって、あわてて抜こうとしたら、おじさんにその手をギュッとおさえられて」これをかいつまんで京屋に伝える。

「あの子、ドギマギしてたわよ、まだ純情なのね」

その後、雀右衛門さんには、楽屋の廊下でパッタリ出会ったりすると「ご飯、行きましょうか」とよく誘っていただいた。六本木のキャンティに始まって、麻布のシセロ、天現寺のアッピアと、洒落たイタリアンが多かった。

ファッションも、スタンドカラーの黒い上着とか、凝った編み込みのセーターとか、上流の若者ふうで、私がそのたびに『ラストエンペラー』のジョン・ローンみたい、とか、今日はデュラスの小説『ラマン／愛人』に出てくる華僑の青年のイメージ、とか思いつくにままの感想を言うと、「日本人だったことは一度もないね」と不平を言いつつ嬉しそうにしてくれた。

あるとき、勘三郎さんとの三度に及ぶ喧嘩《けんか》ばなしを披露する羽目になる。

「一度目は、自分の得意とする役を他の役者が演じて、ご贔屓さんたちと会食しながら勝ち誇ったようにしてたとき。でも、私はあれ、よかったわ、と異を唱えたら、烈火のごとく怒ってしまって、まわりの人たちを困らせました。二度目は彼の崇拝する黒澤明監督の晩年の作品はあんまりよくないし、私はどうも好きじゃない、と言ったとき。このときも虫の居どころが悪かったのか、意外なほどの腹立ちでした。三度目は今まだ継続中で、彼が新聞を遠くに離して読むのを團十郎さんと私が意外に思って笑ったとき。『いつまでも子供でいろ、と言うのか!』ってひどく私に怒っちゃって」

「それはね、二対一になっちゃったからよ。それが口惜しかったんじゃない? まだ仲直りしてないの? じゃ、こうしましょう」

と、雀右衛門さんが銀座のお座敷天ぷら三ツ田に勘三郎さんを招いてくれて、私は京屋と一緒にあとから着いた。勘三郎さんは薄々わかっていたらしく、屈託なくいつもの陽気なおしゃべりで楽しいひとときを過ごす。

京屋の呼んでくれた一台の車で私は勘三郎さんに送られて帰り、私が車から降りかける丁度いい間で「こないだはゴメン」とひと言、車のドアがパタンと閉まる。

翌日、京屋に報告すると「筋書き通りにチョンだわね」と満足そうだった。


雀右衛門さんは幕内の誰からも好かれた人で、「あんなフレンドリーなおじさんはいない」と、中堅、若手役者は口を揃えて慕っていた。

平成二十四年一月、歌舞伎座さよなら公演『春の寿』の女帝役に一日だけ出演したのが最後の舞台で、翌二月には亡くなっている。あんなに若く見えたのに、そして心は少年のように純だったのに、没年が九十一とは驚きだ。

そして同じ年の十二月には勘三郎が五十七歳で、翌年二月には團十郎が六十六歳で、さらにその二年後の二月には三津五郎が五十九歳で没している。みんな大好きで、ジャックと呼ばれた雀右衛門おじさんのあの素敵な笑顔で迎えられたことだろう。

二代目尾上松緑さんの木札

私が最初に好きになった歌舞伎役者は、二代目尾上松緑だった。のちにあれほど好きになる十七代目勘三郎のもしほ時代は、洒脱の影に闇を背負ったような暗い感じが少女の私には拒否反応があり、松緑の竹を割ったようなカラリとした明るさに惹かれたのだと思う。

私の松緑見染めの場もはっきりしている。

戦後間もない昭和二十三年九月の三越劇場。『天下茶屋《てんがぢやや》』の安達元右衛門役で、十三歳

の私は両親と一緒だった。このときはまだ六代目菊五郎が存命で、亡くなる一年前。筋書に「尾上菊五郎演出・指導」とあるのを両親が喜ぶ意味もよくわからなかったが、さすがに元右衛門が刀をかついで腰を落とす有名な形は、カッキリ決まってみごとだった。

続いて、舞踊三題の上の巻が松緑の『申酉《さるとり》』（別称『お祭』）で、場内が真っ暗になり、パッとまばゆい照明が入ると、江戸前のいなせな鳶頭《とびがしら》の立ち姿。この瞬間から私の松緑贔屓が確定して、以後、銀座を始めとする各地の劇場追っかけのスタートが切られることになる。私の踊りのお稽古も、師匠が藤間流の勘右衛門（松緑）派であることを確かめて入門するほどの徹底ぶりだった。

松緑の役々で私が好きなのは、『髪結新三』の新三、『忠臣蔵』七段目の平右衛門、『千本桜』の三役、知盛、権太、忠信など。しかしとりわけ、大佛次郎が長兄の海老さま（十一代目團十郎）のために、書き下した戯曲『若き日の信長』では信長の守役《もり》平手中務《ひらてなかつかさ》、『築山殿始末』では信康の父徳川家康と、すべて脇に回って兄より年長の役を渋くつとめる姿が好きだった。その例外は『江戸の夕映』で、主人公の海老さまの小六《ころく》は頑なに切り替えのきかない旧幕臣。一方の大吉は気楽に粋な暮らしをしながら、友情に厚いという松緑の儲け役。贔屓たちの溜飲が、これでやっと下がった芝居だった。

翻訳劇にも意欲的で、昭和四十年から五十年代にかけて、『シラノ・ド・ベルジュラック』『悪魔と神』『オセロー』『ターリン行きの船』に出演し、それぞれ山田五十鈴、渡辺美佐子、岩下志麻、杉村春子と共演している。『オセロー』はのちに玉三郎のデズデモーナでも再演（松緑はすぐに病気休演し、代役は三代目権十郎）しているが、最初のデズデモーナは岩下志麻で、「いたずら好きの松緑さんが首を絞めながらくすぐったりするので笑いをこらえるのに困った」と最近になって岩下さんから直接聞いた。

最晩年の松緑さんにたった一度だけ会うことができた。

十七代目勘三郎とは持ち役が重なる上に、六代目菊五郎の愛弟子対女婿（六代目長女が中村屋夫人）という微妙な立場で、二人は当然ライバル同士だった。

中村屋中心の著作の多い私としては、とても松緑さんへの取材を申し出る勇気はなかったが、長男初代辰之助を亡くされた翌年、演劇雑誌が道をつけてくれて、ようやく紀尾井町の松緑邸を訪ねるために弁慶橋を渡ることになった。大向うから「紀尾井町！」「弁慶橋！」と掛けてもらいたくて、渋谷からこの地へ越してきた、という話も昔、聞いている。

ほの暗い玄関の大きな靴脱ぎ石の前に立って、ずっと以前、藤間流名取式のために（師匠の突然の死でそれは叶《かな》わなかったが）、ここを訪れる日を夢見たこともあったっけ、と、一瞬の感慨に浸る。

やがて居間に通されると、浴衣姿の大家元は座椅子にもたれてゆったりとくつろいでいた。後ろには大きなベッドがあって、そこに「営業中」の木札が掛けられている。

「ああ、これね、辰之助が持ってきてくれてね、起きてるときは営業中、寝たくなったら準備中に引っくり返すんだ。便利ですよ」

とおだやかな笑顔を見せた。

「あのとき……親子で一ヵ月間休みにすればよかったんだよ。それがなんと、三月二十八日ですよ。僕の誕生日に亡くなるなんて、とんでもないプレゼントをしてくれたもんだ」

松緑さんが、がっしりした肩を落して長嘆息する。私は二の句が継げず、黙っていた。

やがてお茶が運ばれると、自ら気を取り直して私の観劇歴を訊ねてくれた。そこで『天下茶屋』『申酉』『江戸の夕映』の話をする。松緑さんがだんだん膝を乗り出してきて、

「うーん、あのころは俺もまだ若くて、元気潑剌《はつらつ》だったからなぁ。しかし未熟だった。今ならもっと上手にできるけど、そうなると身体が利かない。うまくいかないものだねぇ」

カラカラと快活に笑って、少しの間だけ昔に戻ったようだった。

初代辰之助（のちに三代目松緑を追贈される）は、昭和六十二年三月、肝硬変により四十歳で早世。その父二代目松緑は、約二年後の平成元年六月、肺炎のため七十六歳で亡く

なった。

私が紀尾井町を訪ねたのは、昭和六十三年四月に十七代目勘三郎が亡くなってからのことだから、松緑さんが亡くなる一年前くらいのときだったのか。


十二代目團十郎さんからこんな話を聞いた。

父、十一代目が亡くなったのは、團十郎さんが十九のとき。役者は父親がいなくなると、途端に逆境に立たされる。

「それで松緑叔父さんに教えてもらうわけですが、ずっとバカにされっぱなしでした。同い年の初代辰之助と二人で『三社祭』とか『棒しばり』とかを稽古していただくときに、かなりきついことも言われて、ずいぶん口惜しい思いもしたんです」

初代辰之助は父松緑も羨《うらや》むほどに口跡がよく、運動神経は抜群だった。それに引きかえ、決して器用とは言えない晩成型の團十郎さんは何かと比較されて、損な立場だったのだろう。しかし歌舞伎の世界では教わりに行くにも筋があって、叔父の松緑がいるのにほかへ行って教わるわけにはいかなかった。そのころ、十七代目勘三郎が、そっと内緒でいろいろ教えてくれた、とも聞いている。

やがて長男に先立たれ、そのショックからめっきり気力を失った松緑さんは、それから重病の床につく。

「叔父さんが亡くなる一週間前、僕が五反田の仮越しのお宅を訪ねたら、病床で伸びた髭《ひげ》を剃《そ》るのに、女の人ばっかりで手に負えずに困ってました。それで僕が剃りましょうと言ったわけですが、叔父さんには意識がありましたから、いやなら断わることもできたんです。それを承知して僕に顔を触らせたんですから、内心ほっとしました」

恰幅《かっぷく》のよかった松緑さんが病気でやせて、顎の皮膚が何重にもなっている。團十郎さんがそっと二本の指でそれを広げて剃るわけだが、時間をかけて慎重に丁寧に剃って行く。

「ずいぶん白髪の髭が増えたなぁ、とかいろんなことを思いながら剃りました。終わったら、あの怖かった叔父さんが、ありがとよ、と言うように眼でうなずいてくれて、すごく嬉しかったです」

人間には人生最後の準備とか、思いとか、一念とかというものがあって、松緑さんはこの甥といつの日か和解しておきたかったのに違いない。

陽だまりに置かれたあの大きなベッドに「準備中」の木札が掛けてあったかどうかは聞きもらしたが、病床から見上げる松緑さんの穏やかな眼と、半透明に光る白い顎髭の映っている團十郎さんの静かな眼差しが、はっきりと見える気がする。

十八代目中村勘三郎さんの受付

平成二十四年十二月、五十七歳で早逝した十八代目勘三郎ほど、短い人生を最大限に充実して見事に生き切った人を他に知らない。

誕生直後から、十七代目に待望の男子、と話題になり、三歳の初舞台、桃太郎の役でその存在感は周囲を圧し、その後映画『ベビーギャング』や、ラジオ「大人の幼稚園」のレギュラー、テレビではトリスコンクジュースのCMで人気を集めるなど、生まれながらの

スターだった。

その勘三郎さんと知り合ったのは、父十七代目の『楽屋ばなし』取材のために、歌舞伎座の楽屋や小日向のお宅へ私が通うようになってから。十七代目は感情の起伏の激しい「お天気屋」で知られていたので、その「天気予報」役や、難しい用語、しきたりなどの解説役をまだ二十代だった当時の（五代目）勘九郎さんが買って出てくれた。

いつも生き生きと弾むように語る勘九郎青年の話しぶりに魅了され、その後、女性週刊誌で私が聞き役になって折々の話題の連載が始まり、それが好評で、講談社から『役者の青春』という本になった。

その出版を祝う打ち上げの会が、銀座のバーで開かれ、そろそろお開きというときに、私が持ち帰る本を取り上げると、身をかくすようにして何やらコシャコシャと扉に書き付けているその日の主役の姿があった。帰りの車の中でそこをそっと開いてみると、こうあった。

「関さん、ようこさん、僕を愛してくれてるからこんないい本ができました。この関係をずっとずうっと続けてってね。のりあき」

この文章。「関さん」だけではよそよそしい、いきなり「ようこさん」ではなれなれしい、そこで二つ一緒に書いておこう、そしてサインは本名（哲明）にしよう、という、咄嗟の判断、抜群の言語感覚は、素晴しいと思う。

勘三郎さんの頭の回転のよさと、素早い思いつきの独創性にはその後もしばしば驚くことになる。

たとえば舞台でのハプニングに対応するとき。装置の大岩がいとも軽そうにころころ転げたら、それをいかにも重そうにして片づけてみせる。また、『きらら浮世伝』（横内謙介作）という写楽が主人公の芝居の立廻りで鬘《かつら》を飛ばした。即座に頭の白い羽二重をかなぐり取り「しゃらくせえ」というアドリブでそれを舞台袖に投げつける。客席は沸きに沸いて、たちまちマイナスはプラスに変わってしまうのだった。

この咄嗟の判断で最も感激したのは、私の『花の脇役』（平成八年）という、いつも地道に舞台を支える三階さんたちの列伝が完成したとき。私は勘三郎さんの楽屋で、いつものようにテンポの遅い話し方でこう言った。

「出版パーティーをするなんておこがましいのだけれど、普段は旦那方の後援会とか新年会のパーティーで受付とか裏方ばっかりしているお弟子さんたちを主役に」……すると話は勢いよく遮られ、「わかった。俺、その日は受付するよ」。

そして、銀座の東武ホテルでの出版パーティーは、花やかに実現する。

当日、四、五人の受付が横に居並ぶ中で、勘三郎さんの前には長い行列ができ、お釣りやら、領収書やらすべての雑務をこなして、正味四十分ほども受付の役をちゃんと、つとめてくれた。

このことは全国の劇場関係者の間でかなり話題になったらしく、その後、所用があって博多座とか南座に電話をすると「あの、中村屋さんが受付をした関さんですか?」などと訊かれ、こそばゆい思いをさせられた。


勘三郎さんは、何かいいことをしてくれるとき、あまり説明を加えない人だった。

あれは、実母である十七代目夫人(六代目菊五郎長女)の一周忌だったか、そのお浄めの会食がホテルオークラで開催され、私は自分の席順が遺影のすぐそば、喪主と、住職、その次に定められているのに驚くと、勘三郎さんが「いいんだ」という顔で着席をうながしている。こういうときにしつこく理由を訊ねたり、大袈裟に辞退するのもうるさそうなので、私はあまり居心地よくはなかったが、じっとそのままの席にいた。

それからずいぶん時が経って、こんなことがあった。

チャレンジ精神が旺盛で、他流試合に参加したがる勘三郎さんだったが、観るほうは手離しでそれを喜べないことがままあった。

そこで、パーティーで井上ひさしさんに会ったとき、井上さんとはお互いが放送作家だったころからの知己なので、中村屋に何か新作を、と切り出してみた。

すぐには応じてくれなかったが、ではとにかくお目にかかりましょうかね、となって、勘三郎さんと二人の同席者と私の五人で会うことになる。

ところで話は変わるが、私は役者が夜の部の「口上」で、どうぞ昼の部のほうもご覧いただきたく……と述べると、必ずお客が笑うのが気になっていた。これは、返事の代わりの冷やかし笑いに聞える。

それで、井上さんとの会合で勘三郎さんが、「先生、思いっきり悪い奴を書いてくださ い。極悪非道の人非人、究極の悪人の役を」

と要望を出す。そこで私が、悪人でも、薄汚れていたり、情けなかったりするんじゃなくて、どこか純粋なところがある、かっこいい悪人を、とつけ加えた。

井上さんが、「関さんはまるで中村屋さんを私物化してますね」と私をからかって同席者二人と笑ったが、勘三郎さんは笑わずに、静かな声でこう言った。

「いいんです、母親代わりですから」

そこで一瞬、みんながシーンとしてしまう。

私の「一生懸命」を、勘三郎さんがわかってくれて、一緒に笑って軽くすまさなかった。

そこで、いつかの法事の席順のことが、私の脳裏に突然よみがえり、胸の底がジンとなった。

　勘三郎さんはテレビなど、素顔の快活な印象とはこと変わり、誠の人、情の人、見事な男だったと思う。

女優の章

沢村貞子さんの着物

日本女子大の先輩としての沢村貞子さんに初めてお会いしたのは、昭和三十五年、大手町・サンケイホールの楽屋だった。そのころ大きな話題になっていた演劇・映画界のスターたちが競演する『オセロー』。八代目幸四郎（初代白鸚）のオセロー、新珠三千代のデズデモーナ、森雅之のイアーゴーという豪華顔ぶれの中に、沢村さんが侍女のエミリアに出演するというので、大学を卒業したばかりの私たちはロビーにお花を出し、大勢で賑や

かに楽屋を訪ねた。

だから「お会いした」とはまだ言えてない。

沢村さんと言葉を交してお会いするのはそれからさらに二十一年の時をへてからのこと。それは昭和五十六年、私の『日本の鶯——堀口大學聞書き』が、第二十九回日本エッセイスト・クラブ賞を受賞することになり、新聞で私の経歴を知った沢村さんから、お手紙が届く。

……あなたは日本女子大の後輩であり、生まれ育ちが自分と同じ東京下町であり、四年前に『私の浅草』で同じ賞をもらっている自分とは三つも共通点があるので、受賞の日には是非お目にかかってお祝いしたい、というものだった。

指定の通り、早めに会場（日比谷公園に近い日本プレスセンタービル）一階にあった書店に向かうと、もうそこに地味ながら好みのはっきりした和服姿の沢村さんがにこやかに佇《たたず》んでいた。薄茶系のこまかい小紋の着物に半衿の深い古代紫が沢村さんの美意識をそっと主張しているようで、いかにも浅草の人らしい洗練ぶりが素敵だった。

お祝いにいただいたのは、一力茶屋でお軽が由良助に来た文《ふみ》をのぞき見するのに使うような懐中鏡で、外側には秋の七草の刺繡があった。これもいかにも沢村さんらしい趣味だった。

ところで、「日本エッセイスト・クラブ」というのは昭和二十六年に設立され、翌年から今日に至るまで賞を毎年出し続けている。

その第十七回（昭和四十四年）に芸能界から初めて八代目坂東三津五郎の『戯場戯語』が受賞して大きな話題となった。続いて翌年、芥川比呂志が『決められた以外のせりふ』で受賞。第二十四回が高峰秀子の『わたしの渡世日記』、第二十五回が沢村さんの『私の浅草』。なお、第三十二回が吉行和子の『どこまで演《や》れば気がすむの』、そして第四十六回が岸田今日子の『妄想の森』だった。

沢村さんとはそれから何回か外でお会いして、ようやく当時の渋谷のお宅に招かれ、ご主人の大橋恭彦さんに紹介された。

沢村さんは、いわゆる「三度目の正直」のご主人をとても大事に思っていて、もうそのころは「仕事三割、家庭七割」というのを鉄則とし、泊まりがけや夜の遅い仕事はすべて断る、という生活だった。

沢村さんの生い立ちはNHK朝の連続テレビ小説『おていちゃん』の原作となった『私の浅草』と『貝のうた』に詳しいが、そこに書かれていない二度目のご主人が黒澤映画の名脇役、藤原釜足さんだったとは私には初耳でびっくりした。この人は浅草でエノケン

（榎本健一）が率いるカジノ・フォーリーをへて、東宝映画で長く活躍。どこか喜劇的演技で飄々《ひょうひょう》とした持ち味の人だった。黒澤明の作品『生きる』では市民課係長、『七人の侍』では百姓、『どん底』では役者など、小さい役ながら強い印象を残す名演で知られている。また、『隠し砦の三悪人』で千秋実との農民凸凹コンビが、のちにジョージ・ルーカスの『スター・ウォーズ』に出てくるC－3POとR2－D2のヒントとなっている。

それほど小柄（身長百五十六センチ）な人と、スラリとした沢村さんが、どうして結婚したの？　と、あるとき小声で訊ねてみたことがあった。

「だってぇ……承知してくれなかったら死ぬ、って言うんですもの。前に一度そう言われたことがあって、まさかと思ってたらほんとうに死んじゃった人がいたから、それで怖くなったのよ」

その話は『貝のうた』で読んでいた。最初の結婚は所属した劇団の左翼系運動に加わったときに、上から命じられたいわば政略結婚みたいなもので、二度の投獄生活を終えて離婚したとき、今度は同じ劇団の俳優仲間から求婚される。

「小柄で神経質で、厚い近視の眼鏡、とがったあごと大きい耳がねずみのよう……」

と、わが先輩は書いている。この気の毒な人は、酒に溺《おぼ》れ、大島行きの遊覧船から海に飛びこんで命を断った。

なお、『貝のうた』の貝というのは「貝合わせ」で用いる蛤《はまぐり》のことで、あれだけ数ある貝の中でぴったり合うのはその一対だけ、という意味合いから、三度目の結婚のことを言っている。

その大橋恭彦さんは、京都の都新聞文化部デスクで、当時はお互いに家庭があったが、大恋愛の末に駆け落ち同然で上京した。正式に結婚できたのはそれからだいぶ時間が経ってから。

だから沢村さんがこの満ち足りた生活を守るためにはなに一つためらうことはなかったらしい。まだじゅうぶん元気なのに、ある日きっぱりと引退を決め、盛大なお別れのパーティーを開いたかと思ったら、さっさと横須賀市秋谷というところのマンションに引っ越してしまった。

その新婚生活みたいなマンションには何度かお訪ねした。八階で海の見渡せる広いベランダがお気に入りで、毎朝二人でそこに出て体操をするのだそうだ。

「二人で名づけたヘロヘロ体操を始めると、決まって鶯が応援にきて伴奏してくれるんだよ」

と大橋さんが楽しげに言うので、鶯、笑っているんでしょ、と私が言うと、

「おーい、俺たち鶯に笑われてんだってさぁ」

と、台所にいる沢村さんに大声で伝えていた。今日も沢村さんのお着物が素敵、と私が褒めると、「今に、僕があげるから」と片目をつぶってみせてくれたが、沢村さんより二つ若いはずのその大橋さんが、それから何年もしないで亡くなってしまわれたのは、沢村さんにとって大きな番狂わせだったと言える。

その後も何度か伺ったが、なんとなくつまらなそうで、浮かない返事ばかりになった。

でも、ある日こんな話をしてくれた。

「机の引き出しをあけたら、原稿用紙の間から、『別れの言葉』が出てきたの。……私がなんとか生きのびてこられたのは、唯《ただ》ひとり、貞子という心やさしく、聡明な女性にめぐり逢えたからである、って。私は若いころ、みんなの幸せのために思想活動して、結局なにもできなかったけど、でも一人だけ、幸せにできたかもしれないの」

そして平成八年八月、沢村さんは自室でひっそりと亡くなった。食を断った、とも言われている。潔く、何事も一人で決めて実行する沢村さんらしい生涯で、「悲しまなくっていいのよ」という声が聞こえてきそうな気がしている。

不思議なことに、私が褒めたあの薄い藍色の単衣《ひとえ》の着物は、どういう経緯があったのか、ある日沢村さんの事務所から届けられ、ちょっとびっくりさせられた。

岸田今日子さんの教え

今日子さんの『妄想の森』というエッセイ集を読み返していたら、あちこちに私の名が出てきていて今さらながら驚いた。

たとえば平成二年、第一回「勘九郎の会」（十八代目勘三郎の自主公演）を、私に誘われて観に行った、とある。その前後も今日子さんとはずいぶん歌舞伎座へご一緒したから、かなり頻繁に銀座で逢っていたことになる。

待ち合わせはたいてい歌舞伎座横の茜屋珈琲店で、今日子さんはいつも背筋をぴんと伸ばし、じっと正面を見つめて人を待つことに専念していた。その姿が目に焼きついていて、今もたまに茜屋に行くと今日子さんを待たせてないか、とふと思う。

私が初めて今日子さんからあの独特な声をかけられたのは、昭和二十年代後半、信濃町の文学座アトリエ（稽古場）公演会場入り口だった。私は高校生で、母と一緒。今日子さんは私より五つ年上だけど、大人びた物腰で、にっこりしながらチケットをもぎり、「いらっしゃいませ」と、ていねいな会釈《えしゃく》をしてくれた。そのいかにもインテリの家庭に育ったらしい爽やかな静けさは、私がそれまでに出逢ったことのない不思議な優雅さだったのを鮮明に覚えている。

その後、言葉を交わすようになったキッカケを考えてみたら、今日子さんがある雑誌に私の『日本の鶯』の書評を書いてくれて、明治の男、堀口大學の素敵さを絶賛してくださったことによる。お礼に楽屋を訪ねてから、急速に親しくなった。

ずいぶん泊まりがけの旅もご一緒していて、琴平の「こんぴら歌舞伎」にも十八代目勘三郎（当時・勘九郎）の『夏祭浪花鑑』や『高坏《たかつき》』を観に行ったことが『妄想の森』に書かれていた。このときは、吉行和子さん、冨士眞奈美さんも同行している。

この三女優はほんとうに仲よしで、テレビの旅番組をいくつも撮っているが、その台湾編では今日子さんの口ききで、私も連れていっていただいた。長時間一緒でいろんな話が聞けたので、あるとき思い切って、おしどり夫婦といわれた天下の美男、仲谷昇さんとどうして別れちゃったの？　と訊いてみた。

昭和三十五年の『サロメ』（オスカー・ワイルド）は、今日子さんのサロメ、仲谷さんの預言者ヨハネの息の合った共演、三島由紀夫演出のあの名舞台が忘れられなかったから。

「娘のまゆが七つくらいのとき、ある日急に、とうさんとかあさんは仲が悪いの？　って訊いたのよ。それがすごいショックでね。結局まぁ、二人の間に話題がなくなったのが原因かしら。彼は野球や競馬が好きで、私は本や映画が好きだったから。子どもの前で取りつくろうのはいやだったんで、私が子どもを連れて出ちゃったの」

でも、眞奈美さんによれば、「仲谷さんがもてて……今日子ちゃんはそれが許せなかったんじゃない？」ということになる。

眞奈美さんが東宝の芸術座の芝居に出て、今日子さんと二人で観に行ったことがあった。小津安二郎の映画『秋日和』を舞台化した作品で、映画では原節子の役を池内淳子が演じ、その亡夫役の遺影はなんと吉行淳之介さん。煙草《タバコ》をくゆらせながら、顔を斜めにそむけている写真が当時話題で、眞奈美さんは女性編集者の役。そこに仲谷さんも出ていた。終演後、眞奈美さんの楽屋を訪ね、「もう遅いから、うちでクターッとしていかない？」と、いかにも今日子さんらしい言い方で、二人が赤坂のリキマンション（プロレスラーの力道山経営）に誘われた。

そのころまゆさんはもう幼稚園の先生になっていて、長年家事を任されている堤さんもそこにいた。

話題は自然に、再婚している仲谷さんに移って、眞奈美さんが言う。

「楽屋に奥さんもだあれも来ないのよ。行ってみるとポツンと一人でいるの。だからあたし、毎日あったかいお茶持ってってあげてるのよ」

今日子さんが複雑に笑って「ありがとう」と小声で言い、まゆさんが「パピ、かわいそう」と呟《つぶや》くと、堤さんが「旦那さんが……」とそれだけ言って、涙ぐむ。

今日子さんが気を変えて、「だからね、面食いはダメなのよ、ね、わかった？」と、母と女の中間の顔で、まゆさんに教えていた。

今日子さんが亡くなったのは、平成十八年十二月十七日。その前年の十二月、私とオペラに行く約束だったのに、「行かれなくなった」と突然電話があった。昨夜、暗い廊下を歩いてたら、ふらついて壁に顔をぶつけ、今朝《けさ》起きたら「お岩」になっていた、とのこと。ずっと心配していたら、二、三日してまた電話があって、「あたし、脳腫瘍だって」と、そんな深刻なことを、いとも簡単そうに言ってしまっていいの？　という感じで、私は呆《ぼう》然《ぜん》となった。

年が明けてすぐ、和子さんと眞奈美さんとで慶應病院へお見舞いに行ったが、私はそれが今日子さんとのお別れになった。

翌二月、「話の特集」の矢崎泰久さんが主催する句会に、今日子さんはまゆさんの押す車椅子で出席したという。兼題に「春浅し」というのが出ていて、「今日子ちゃん、とってもいい句をつくってきたの」と、眞奈美さんが言う。それは、

春浅しまだ行き逢へぬ人はどこ

この世のどこかに、まだ出逢えてない人がいる、どこにいるの？　早く出てきて……ということか。それとも別の世界での未来の出逢いか。今日子さんのことだから、きっとこの世のことだろう。

今日子さんのエッセイで「こんぴら歌舞伎」の詳細を思い出した。

金刀比羅宮に参拝し、「関さんと親しい宮司さんにお願いして、表と奥の書院の文化財も見せていただく」と今日子さんは書く。

数ある障壁画の中でも岸岱《がんたい》の「群蝶図」が特にお気に召したらしい。無数の蝶は、一羽ずつ全部違う種類で、「いつまでも見ていたいほどだった」とか。「午後に和子さんと眞奈美さんが飛行機で着く」とあったから、今日子さんと私は前泊したのだった。

夜の部をみんなで観て、晩ごはんは勘三郎さんと一緒だった。「舞台から見てると、団扇《うちわ》を使う客席の様子が打ち寄せる波のように見えるんだよね」という話に感じ入って、翌日の昼の部に四人で一句ずつ寄せ書きして持参することになった。私は『高坏《たかつき》』の句は出来ず、翌日の昼の部『夏祭』の句になった。

次郎冠者団扇の波の岸に舞う　　今日子
高坏を踏めば団扇の波がひく　　和子
波打つは団扇役者は勘九郎　　眞奈美
団七の動悸《どうき》に合はす団扇かな　　関

今日子さんはエッセイをこう結んでいる。百五十年前、わたしは一羽の蝶として若い娘の肩に止まり、この小屋に入ったのではなかったか……。

今日子さんは今、紫揚羽に生まれ変わって、若い娘の肩に止まり、ひらひらと楽しげに劇場めぐりをしているに違いない。

加藤治子さんの微笑

治子さんが文学座に入ったのが昭和二十四年で、私は中学生なのに劇場巡りをしていたから、治子さんの舞台は早くから観ている。たとえば『恭《うやうや》しき娼婦』の治子さんの娼婦リッジーは色っぽくて美しかったが、当時、サルトルの芝居なんてさっぱりわかっていなかった（今もかも）。

それが昭和六十三年には、治子さんと樹木希林さんと、私と友人とでオペラツアーに参

加してニューヨークに滞在し、メトロポリタン歌劇場に通うまでになったのだが、どうしてそこまで親しくなったのか……今考えてもよくわからない。気がついたら、歌舞伎やコンサートの私の隣りの席に、いつの間にか治子さんがにこやかにすわっていた、という不思議な感覚にとらわれる。静かに、しなやかに、ひっそりと強い。治子さんはそういう感じの人だった。

しかし、それでもよくよく考えてみると、治子さんに初めて会ったのは、銀座のバー「百合」だったかもしれない。カウンターだけで構えは小さいが、お客には文化人の常連が多く、一流の店だった。当時のテレビ東京社長、中川順さんもそのお一人で、ある晩そこで治子さんを紹介されたような気がする。

そしてあるとき、私がミラノ・スカラ座やミュンヘンのバイエルン国立歌劇場で観るオペラがどんなに素晴らしいかを、どこかの劇場で隣りの席にいる治子さんに熱く語り、「二ヵ月後には私、ニューヨークで十日間のオペラ三昧。圧巻はドミンゴのラダメスで『アイーダ』よ」とそこまで言うと、ちょうどその期間、休みが取れるから私も、となって、すぐに希林さんを誘い、さっさと参加手続きをすませてしまった。

そのころは海外のオペラのチケットを取るのが難しく、大方はオペラツアーで行くしかなくて、私のルームメートは学校友達のYさん。治子さんと希林さんが相部屋だった。

治子さんはオペラの時間まで、たいていはお部屋だが、希林さんは行動的で、昼間は一人で出かけていき、古着を買うのが趣味だった。

治子さんに廊下で遭《あ》うと、「買ってきてはひろげるから、ホコリくさくてやりきれないの。金ボタンのいっぱいついた長いコートだのなんだの、内田（裕也）さんに着せる、って私に見せるから」とこぼす。希林さんに道で遭うと、「加藤さんが朝方うなされるから、おちおち寝てられないのよ」と顔をしかめる。私は「劇団内部」の縮図を見る気分になり、この世界で生きるのはつくづくたいへん、と思うのだった。

希林さんは「内田夫人」であることにとてもこだわっていて、ツアーの方たちが、「樹木さん」とか「希林さん」とか呼びかけると、いつも強く押し殺したような声で「内田です」と答えていた。

治子さんは、呆気に取られる人たちに軽く会釈して、夢見るように笑っていた。

治子さんの後半生は、テレビドラマの素敵なお母さん役が有名になりすぎて、その前のことがあまり世に知られていない気がする。

ニューヨークで私が聞いた話で意外だったのは、まずは松竹少女歌劇学校時代があって、同期に小月冴子、『リンゴの唄』の並木路子、そしてのちに黒澤明夫人になる矢口陽子たちがいた。

そのうち東宝映画に抜擢《ばってき》されて、エノケン（榎本健一）の相手役、寅さん映画のマドンナ的な役どころで何本か出ていた。そしてそのころ（昭和十六年）、慶應義塾大学の新演劇研究会が、女の役をする人がいなくて困っている、と人づてに聞き、そこに芥川龍之介の息子がいるというので、ふと行ってみる気を起こしたことが、治子さんに運命的な出遭いをもたらした、ということだった。

慶應で、芥川比呂志は仏文、のちに夫となる加藤道夫は英文の学生だったが、治子さんは最初から芥川に心惹《ひ》かれた様子で、そのときすでに芥川には学生結婚の妻があった。

学徒出陣で芥川が応召するときの、送別会の晩のことを語る治子さんの声がなつかしい。「池之端の雨月荘での会のあと、みんなで上野の森の夜道を歩いたんですよ。美術館の広い石段のところで、だれからともなく『ジュリアス・シーザー』の暗殺場面を英語で演じ始めたの。それを観ながら、この芝居がずうっと終わらなければいいのに、と思ってね」

病弱だった加藤道夫は出征が遅れ、その間に戯曲『なよたけ』を書き上げる。『竹取物語』の世界にジロドゥの『オンディーヌ』を重ねたような詩的な作品で、無邪気で純粋で、天女のような主人公は、もちろん治子さんをイメージしていた。

芥川も加藤も無事に復員し、治子さんは正式に加藤治子となるのだが、この仲人は芥川夫妻だったという。

加藤道夫が三十五歳で自ら命を絶つのは昭和二十八年の十二月。この間の事情を治子さんは曖昧《あいまい》にしか語らないが、私には加藤の仕事上の行き詰まりに加え、芥川と彼との間に恋の確執がくすぶり続けていた、という気がしてならない。


『なよたけ』は加藤の死の二年前、『なよたけ抄』として歌舞伎で初演された。なよたけが七代目梅幸、文麻呂が海老蔵（十一代目團十郎）、その親友の清原が二代目松緑で、加藤夫妻は初日に招かれて観た。私もその新橋演舞場の舞台を観ている。

しかし、加藤道夫は治子さんのなよたけを、どんなにその眼で見たかったことかと思う。文学座の『なよたけ』上演は加藤の死の二年後、芥川比呂志の演出でようやく実現するが、芥川の決めた配役はまったく意外なものだった。

「私は都大路の群集の女。岸田今日子ちゃんも文野朋子さんも同じで、群集その一、その二、だったのよ」

芥川は以前、文麻呂の役は繊細で都市的感覚の高橋昌也を措《お》いてない、とまで言っていながら、発表は仲谷昇になっていた。そのころ、治子さんとのちに結婚することになる高橋とは、恋の噂があったのだった。

そして、なよたけはなんと、新人に近い松下砂稚子。

「群集で出ますか？　出ませんか？　って、芥川さんに訊かれて、清原役の稲垣昭三さんに相談したら、芸術家はつらいほうの道を選ぶべきです、って言われたの」

芥川比呂志は昭和五十六年十月、六十一歳で病没する。

治子さんは平成二十七年十一月、九十二歳の天寿をまっとうして亡くなった。

最後にお会いしたのは、その十年ほど前だったが、しみじみとして、こんな話をした。

「芥川さんの晩年、ある日、電話がかかってきて、治子ちゃん、あの『なよたけ』のとき、僕のこと鬼みたいに思ったでしょ、って。あら、そんなこと思うはずないでしょ、って答えたけど……ほんとうは思ったわね。病気がちになって、気が弱くなったんでしょう。それからは私、観た芝居や映画のプログラムを持って、月に何回か病院にお見舞いに行ってましたからね」

重い話を歌うように話すこの心優しげな女人に、いったいどれだけの男たちが焦がれ、苦しみ、悩まされたことだろう……。思えば向田邦子ドラマでの役柄同様、業の深そうな波乱の人生だったが、その最晩年は「なよたけ」のように心浄《きよ》く、安らかだったと思いたい。

池内淳子さんの襟足

初めて池内さんの素顔を見たのはかなり大昔で、日本橋たいめいけんの二階の大広間。小唄の会で、十七代目勘三郎が終わりに二曲披露するというので出かけたのだが、池内さんはだれかへのお義理で来ていたらしく、中村屋の登場に軽い驚きの声をあげた。振り向くと、パッと開いた花のような池内さんの笑顔があって、まさに明眸皓歯《めいぼうこうし》とはこれを形容するための言葉か、と思われた。お着物はかなり地味めで、細かい絣《かすり》のようだったかと思

うが、笑顔の印象が強烈で、ほかに目がいかなかった。

中村屋は『お互いに』とあと一曲は忘れたが、『船に船頭』だったかもしれない。その後、ずいぶん年月が経ってから、池内さんにインタビューした。場所は銀座の資生堂パーラー。話途中で、あの小唄の会のときのことを持ち出して、「とっても、「いい景色だねぇ」でした」と言うと、歌舞伎の話が出ていたので、すぐに『切られ与三郎』の見染めの場とわかり、

「このごろはその景色も、すっかりよくなくなってきましてね」

と受けてくれたが、決してそんなことはなかった。

このとき伺った話で興味深かったのは、まず池内さんの生まれ育ちが東両国ということで、私が本所吾妻橋。やっぱりどこか通じ合うところがあるのかもしれない、と秘《ひそ》かに思って、親近感を持った（そう言えば、十七代目中村屋も浅草生まれの向島育ちだった）。

十文字高校を卒業した池内さんは、三越本店の呉服部につとめたが、そこを一年で辞め、花嫁修業に専念する。しかし、「サンケイグラフ」の表紙に写真が載ったことから、新東宝にスカウトされて、映画スターの道を歩き始めることになった。

初めての出演作品は『皇太子の花嫁』（昭和三十年）。往時の皇太子御成婚の四年も前の映画だから、まったく絵空ごとの筋だそうだが、その皇太子と間違えられる人物の役を、

二代目猿之助の甥に当たる人が演じていて、その後は俳優の道に進まなかったというが、昔から皇室や貴族を演じるのは梨園の人、と決まっているみたいなのがおもしろい。

池内さんとはそれから急速に親しくなった。

私はある時期、トークイベントの聞き手役をかなりつとめていて、十八代目勘三郎さんとは何回も、いろんな場所でトークをした。その後、岸田今日子、吉行和子、冨士眞奈美……と続いて、あるとき三越劇場で『華岡青洲の妻』に出演中の波乃久里子さんとトークの打ち合わせをしていたら、於継《おつぎ》役で出ていた池内さんが聞きつけて、「あら、次は私ね」と買って出てくれた。会場は山形県の鶴岡市。主催者の佐藤よし子さんがあつみ温泉萬国屋に招いてくださったので、夜、いろんな話が聞けた。

まずはたった三ヵ月だった結婚のこと。相手は青山学院大学当時からジャズを歌って人気だった学生歌手第一号の柳澤真一（現在は愼一）。白皙《はくせき》の美青年で、数寄屋橋にあった日劇（日本劇場）は連日満員。押しかけたお客で劇場のドアが閉まらず、外を走る都電の中から舞台が見えた、という伝説がある。

「そうでしたね。でも私、すぐに帰ってまいりましたの」

返事に困って黙っていたら、宿の浴衣からのぞく白い襟足《えりあし》に、一つの黒子《ほくろ》が見えて、色っぽかった。

「ああ、これね。銀座の文壇バーに『眉』ってありましたでしょ。そこにお客でいたら、突然この黒子のところが熱うくなって……なかなか離れてくれないの。吉行淳之介さんだったのよ。吉行さん、一年でいいから一緒に暮そう、っておっしゃって、それからどこかでお会いするたびに、半年でいい、とか、三ヵ月でいい、とかだんだん短くしてくださるんですけど、もちろん冗談ですよ。サービスというか」

私がまたぼんやりうなずいていると、ポツリと解説を加えてくれた。

「私、もともと淡泊な性質《たち》なんですよ」

やっぱり下町の言葉を使う人なんだなぁ、「たち」だなんて……。

池内さんとはまた一泊でこんぴら歌舞伎へもご一緒した。琴平町が招待してくれたのだが、付き人のヨシミさんの分の費用は持つから連れて行きたい、という申し出があった。池内さんはどこからの食事のお誘いでも、すべてこのヨシミさんと同席でなければ受けない、ということに決めていたらしい。これでは下心のある男性も二の足を踏むので、その淡泊ぶりは徹底していた。

それで、こんぴら歌舞伎を観た日の夕食後に落ち着いた時間があって、私が思い切ってこんな話を持ち出した。

上田に俳句をつくる友だちがいて、ちょっと早飲みこみをする人ではあるんですけど、別所温泉の「愛染《あいぜん》かつら」の巨木があることで有名な北向観音さま。そこに池内さんと男の方の連名のお墓みたいなものがある、って。それが池内さんの恋人なんじゃないか……って。

すると池内さんがカラカラと笑って、

「やだ。斎藤三雄さんのことね。あれは柏屋別荘さんの当時のご主人ですよ。やだ、お墓じゃなくって、寄進したお不動さまの連名の石碑のことでしょ。あれはずいぶん前。昭和五十年ごろ、長野県に映画のロケで行って、私が過労で倒れてかなり長いこと寝こんでしまったときに、ご主人にとても親切にしていただいたの。それで全快したお礼に、不動明王像をお寺に寄贈して、そこに名を連ねたわけですよ」

琴平では、翌日こんぴら歌舞伎の昼の部を観たあと、池内さんは金刀比羅宮に正式参拝し、玉串料を奉納したので、祝詞《のりと》が上がった。おかげで同行した私や編集者たちもお祓《はら》いの余徳をいただいた。

東京へ帰った翌朝、池内さんからの電話で、

「お互い、つかず離れず、長いおつきあいでいましょうね」

ということだったが、しばらくして「肺に水がたまって……」という電話があり、その後、療養の甲斐《かい》なく、平成二十二年九月、肺腺癌《がん》で亡くなった。七十六歳だったそうだが、琴平ではとても七十代とは思えない美しさだった。

ヨシミさんの話では、八十歳になったら仕事はやめて、マンションも小さい部屋に移り、気楽に暮らそうね、と言っていたということだ。

別所温泉の北向観音に、池内さんの石碑を見に行った。墓参のつもりだった。だから結局、早飲みこみの友、河西志帆の言うことは、そう間違ってはいなかった。

このあたりは戸隠の鬼女伝説に由来する歌舞伎『紅葉狩《もみじがり》』に由縁が深く、余五《よご》将軍平維《これ》茂《もち》の墓所も近い。鬼女にも名があって、「紅葉」というのだそうだ。

案内してくれた志帆さんが追悼《ついとう》の句を詠んだ。金子兜太一門の俳人らしく、字余り字足らずお構いなしなのが、いっそ哀《かな》しい。

時雨ほろほろ明王も北を向き
夕もみじ陽の当たるとき女優　　志帆

太地喜和子さんのジーンズ

喜和子さんを初めて銀座で見かけたのは、歌舞伎座の二階席だった。昭和五十一年四月、十八代目勘三郎（当時・勘九郎）が二十歳で初めて『鏡獅子』を踊ったときで、ずっとあとになって知ったことだが、喜和子さんはほとんど毎日歌舞伎座に通いつめていた、ということだ。

その日、喜和子さんは二階の最後列にいて、私がときどき斜め後ろを振り返ると、ハッとするほど真剣に、睨《にら》むようにして舞台を見つめているのがいかにもひたむきで、恋する女の顔だった。それが胡蝶《こちょう》の踊りになると、もう見飽きて退屈なのか、落ちつきなく客席を見廻したり、天井を眺めたりするのが普段の女優の顔に戻っていた。

喜和子さんが亡くなるのは平成四年十月だが、私はその半年前の四月に四国のこんぴら歌舞伎にご一緒して、初めて長時間お会いする折を得た。「鏡獅子通い」の話が出たら、「そうなの、胡蝶のところ。もう、早送りしたかったわね」と笑う顔が、たちまち破顔一笑ガハハの感じになって、打ち解けるのに時間をかけない人なのだな、と私もすぐに大好きになった。

喜和子さんが静岡県伊東の海に車ごと落ちて亡くなったあと、いろんな記事や映像を見た。その中で特に印象深かったのは、「私は山田五十鈴の子なの」とか、「私は戦災孤児なの」と、思いつくままに語る癖のこと。それを評して「小説家的女優」というのがあったが、確かにそんな感じ。

また、喜和子さんの母・太地稔子さんによると、「小さいときから話のおもしろい子だった」そうで、「喜和子には子どもでいた時期が少なかったような気がする」とのこと。これも言い得ていると思う。

勘三郎さんにもそういうところがあって、話のおもしろさは無類だったし、二歳からスターだったから子どもでいた時期は、喜和子さんよりもっと少なかったろう。それでいて、成人しても純粋無垢なところは二人ともずっと子どものままだったので、似た者同士と言える。

だから十九歳の勘三郎が、ひと廻りも年上の相手に夢中であこがれた気持ちもわかるし、喜和子さんもただそれに応えたというより、もっと真摯《しんし》に受け止めていた気がする。二人は本気で結婚する気だったし、反対されて心中すら考えた……と、あるテレビ番組のナレーションで聞いたときは、私も少なからず驚いた。のちに喜和子さんの手記が出てきて、その後の心境を綴《つづ》っている。

「私には世間的な幸せは必要でない……」と。

最近、寺島しのぶさんから喜和子さんのこまやかな心くばりがわかる話を聞いた。

喜和子さんは歌舞伎役者との共演が多かったが、そのときは尾上菊五郎の相手役だったので、芝居の帰り、菊五郎さんに連れられてお宅に寄ったのだろう。応接間でしばらくしのぶさんと二人きりになる時間があって、手持ちぶさたにしていると、喜和子さんが突然こんなことを言った。

「ねえ、あなた、どうしてそんな寂しそうな顔してるの？」

歌舞伎役者の家庭に生まれた女の子は、どうしても仲間はずれにされがちになる。弟の菊之助中心に寺島家の時間が回っているような気さえする。喜和子さんは一瞬でその寂しさを感じ取って、だったらひがんでないであなたも役者になれば？　と言ったのだった。しのぶさんはそれがきっかけで、喜和子さんに由縁の文学座の門を叩く。

それからの女優としての成功は書くまでもないが、「六本木歌舞伎」（平成二十九年『座頭市』）に出演して初めて歌舞伎と名のつく舞台を踏んだことがとてもうれしかったそうだ。しのぶさんは、私には説明なしで、海老蔵さんのことをいきなり本名（寶世《たかとし》）の「タカちゃん」と語り始める。このあたりもさすがと思った。

「タカちゃんがね、これまでやれなくて口惜《くや》しかったことをこの際全部やったら？　早替り？　それから立廻り？　うん、いいよ、って、優しいの。あの人、弟と同年輩だから、子ども同士で遊んだころは、私がお姉さんでしたしね。それで思ったのは、将来、もしタカちゃんの娘の麗禾《れいか》ちゃんが私と同じような気持ちでいることがあったら、私が今度は喜和子さんの立場に立って、なにか言ってあげなくちゃ、ということでした」

喜和子さんは、ここにもちゃんと生きている、という気がした。

こんぴら歌舞伎にご一緒したとき、羽田空港で会った喜和子さんは紺色の無地の着物でスラリとした長身を包み、髪は多分、夜会巻き（？）に結い上げて、とてもきれいだった。終演後に九代目松本幸四郎（現・白鸚）さんと、土地の名士とで、私が司会をつとめる座談会があったのでそのためのお洒落だった。飛行機の中で準備のために、私の『おもちゃの三味線――白鸚・勘三郎・芥川比呂志』をずっと読んでくれていた。

ちょうどその日は東京から演劇評論家や記者たちが大勢来ていて、夕食後はそれぞれ喜和子さんの部屋に集まってきて、盛大に飲み始めることになった。

喜和子さんはもう髪はザンバラにして、胸がはだけそうなゆるいTシャツ一枚にジーンズ姿で、ベッドの上に胡座《あぐら》をかき、豪快な飲みっぷりを見せてくれた。聞き手が多いと役者は妙に張り切るものだが、このときの喜和子さんの仕方ばなしが実におもしろかった。

「ねぇ、こんなことがあったのよ。私がどっかのお蕎麦屋に入ったらね、すごく混んでて相席になっちゃったのよ。前にいたアベックの、男のほうがチラチラこっちを見ながら女にヒソヒソなにか言ってるのよ。明らかに、あれ、太地喜和子だろ？　たいしたことねぇな、君のほうがずっと美人だよ、なんて言ってるらしいの。わかるのよ。それで私のほうが先に終わったから、帰るときに言ってやったわよ。あの〜、スミマセン、って」

記者たちが固唾《かたず》を呑んでシーンとなる。

「ハッとして男が恐る恐る立ち上がったからね、私、にこやかに言ったのよ、今、何時ですか？　って」

部屋中にどっと笑いが溢《あふ》れ、蕎麦屋で刻《とき》を訊くとはさすがに喜和子さん、洒落ている、となった。それを機に一人去り二人去り、とうとう読売の依光さんと私が残る羽目になった。帰ろうとしたら、「喜和子と二人きりになるのは困るから、どうしてもまだいてほしい」と頼まれ、おかげで私は昔の勘三郎さんとのなれそめの、かわいい話を聞くことができたのだった（そのことは私の『勘三郎伝説』に詳しい）。

喜和子さんはブランデーやウイスキーを自分で注ぎ足しては大量に飲んでいたようだが、私はグラスに紙を巻いて氷と水を交互に注いでごまかしたので、当たり前だが最後まで平気だった。

翌朝、喜和子さんとロビーで会ったら、

「関さん、強いのねぇ〜、びっくりしたわ、今度東京で飲み比べをしましょうね」

と挑戦されたが、そんなことをしたらひとたまりもないのは知れていた。

素直にタネを明かして謝って、笑って再会すればよかったのにと、今になっても悔やんでいる。

岡田嘉子さんのダスビダーニャ

岡田嘉子……と聞いて、これ、どれだけの方がわかってくれるだろうか、と考えた。

しかし平成三十年一月、新宿紀伊國屋ホールでミュージカル『YOSHIKO〜悔いなき命を〜』（ASPイッツフォーリーズ公演）が舞台にかけられ、若い俳優たちが熱演するのを観て、ああ、私はこの伝説の人にじかに会っているのだ、とあらためて感激した。

岡田嘉子は明治三十五年に広島で生まれた。大正から昭和初期にかけてサイレント映画

や舞台のトップ女優として活躍する。

昭和十二年十二月、嘉子も若い演出家杉本良吉も家庭のある身で、まずは北海道の稚内《わっかない》まで駆け落ちし、そこからは船で、当時の樺太《からふと》（現・ロシアのサハリン島）に恋の逃避行。そのころ日本の領土だった樺太から、ソ連領へと手に手を取って雪の国境を駆け抜けるシーンは、話としては感動的だが、二人を待ち受ける運命は想像を絶する苛酷《かこく》さだった。

二人はたった三日間だけ一緒にいて、引き離され、スパイ容疑をかけられて、別々にひどい拷問《ごうもん》を受ける。その結果、嘉子は十年間の収容所生活、杉本は銃殺刑に処せられたが、嘉子がその事実を知ったのは、実に五十年後のことだった。だから、昭和四十七年に、嘉子が三十五年ぶりの帰国を果たしたときは、まだ杉本は獄中で病死した、と思っていた。

その後、嘉子は日本に十四年間滞在し、昭和六十一年には国籍のあるソ連に戻り、平成四年、八十九歳、モスクワで亡くなるまで、再び日本を訪れることはついになかった。


私がその岡田さんに逢ったのは、昭和五十五年の暮れ、光文社の女性誌「ＪＪ」の渡辺淳一対談の席で、場所は銀座の料亭だった。

岡田さんがそのころ映画『男はつらいよ　寅次郎夕焼け小焼け』や、劇団民藝の『聖火――母の総《すべ》て』に出演して評判を呼び、その花やかな恋愛遍歴についてもかなり話題になっていたので、私はどうしてもじかにお目にかかりたくなり、「キャリアのある素敵な老婦人に恋愛小説の大家が訊くシリーズ」の対談企画を出した。

そして「華麗なる年輪」と銘打ったその対談の第一回ゲストが岡田さんなのだった。ちなみにこれに続くゲストの顔ぶれは、森茉莉、吾妻徳穂、淡谷のり子、水の江瀧子、ミヤコ蝶々、織田昭子、葦原邦子、沢村貞子、小森和子、三宅艶子、森光子。その後「週刊朝日」に掲載された宇野千代を加えた十三人（この『華麗なる年輪』は角川書店から文庫化されている）。

それで、念願の岡田さんに逢えることになり、私は、対談構成者としてお迎えに行く役目を買って出た。指定の場所に現れた岡田さんはもう七十代後半というのに、とても感じのいい美しさで、知的でありながらふくよかで凜《りん》としていて、私が将来の目標にしたい歳の重ね方だった。

着物と羽織は黒地に白のお対《つい》の絣《かすり》で、あまり凝った感じはなかったが、ただ一点、羽織の白の紐《ひも》の先端が濃い牡丹《ぼたん》色の球の形になっていて、それがほのかな女の残り香を主張しているようだった。

車の中で、観ておいた『聖火』の、岡田さんのタブレット夫人役を私が夢中で褒めると、「あら、観ていただいたの？　あれはサマセット・モームの、いい芝居だったでしょ、身体の不自由な息子に対して、母親の私と、息子の妻と、看護婦との女の戦い。でも『聖火』っていう題じゃオリンピックみたいだから、って、演出の宇野重吉さんが『女の総て』って、つけ加えたの。宇野さんの老大佐役も、とてもよかったでしょ」

と、朗らかに答えてくれた。

ちょっとガラガラしたような、そのあたたかみのある声を聞きながら、私は今、昭和史上の人物の横に座っているのだ、と緊張していた。

渡辺淳一さんは岡田さんと会うとすぐ、「やあ、その羽織の紐が素敵」と褒めて打ち解けた。

そして、今は恋愛に障害がない時代になって、恋愛自体が軽くなり、恋愛小説が書きにくくなったけれども、岡田さんは雪の国境を越えて逃げるという……あんな大胆な発案をしたのはお二人のどちらなんですか？　と核心を突いた。

「私が言いだしました。杉本は前に思想問題でつかまってたので、赤紙（召集令状）がくれば最前線送りが目に見えてましたので、いっそソ連へ行って芝居の勉強をしましょうよ、って。私はそのとき三十四歳でした」

ロシア語に堪能だった杉本が、引き離される別れ際に三つだけロシア語を教えてくれた。

スパシーボ（ありがとう）、ウボルナヤ（お手洗い）、そして三つ目がダスビダーニャ（さようなら）だったという話が悲しかった。

それから「別れ別れに入獄して、杉本は一年くらいで肺炎になって獄死してしまうし」とそのとき真実を知らなかった岡田さんは語っている。

十年の刑期を終え、日本での美術学校出が役に立ってまずは肖像画を描いて暮らしを立て、戦争が激しくなると見習い看護婦として働き、それから翻訳の仕事をへて、モスクワ放送局のアナウンサーになる。そのころ、かつての芝居仲間滝口新太郎との出会いがあって、結婚する。滝口は戦争中に捕虜《ほりょ》となり、そのまま残ってハバロフスクの放送局にいたのだった。この最後の結婚が最も長くて二十年間に及ぶのだが、やがて死別し、今回の帰国はその遺骨を日本の墓地（多磨霊園）に納めるためで、岡田さんの名もその横に赤い字で刻んである、ということだった。

渡辺淳一さんが、しみじみとして、こう言った。

「岡田さんには、いつも素敵な男がついてまわる。お天道《てんとう》さまと米のめしみたいに。それでただの一度も休憩しないで……」

するとすかさず岡田さんが、「休憩したらもうおしまいでしょ」とあっさり受け流す。

渡辺さんが、そのエキゾチックな美貌《びぼう》に見惚《みと》れていると、

「母方の祖母はオランダの血を引いているので、母は私よりずっと美人でしたよ。私と言えば、まぁ、目は八時二十分ですし」

それを、いくらか目尻の下がった渡辺さんが、「僕の顔を見ながら言わないでくださいよ」と、受けて、大笑いになった。

それでいよいよ恋愛小説家として最も訊きたかったらしい質問に入る。

「岡田さんにお会いしてぜひ伺いたかったこと。何人かの男性との出会いと別れを重ねて、その一人の男性との恋がダメになるときって、どうなんですか？　若い女性の中には、最初のつまずきで大きなショックを受けて、なかなか立ち直れない人がいる。このときどうやって自分を持ち直すか、ですが」

すると岡田さんが「つまずきって？」と問い返す。

「つまり深い関係になった男に、ふられちゃう、ということですね」

岡田さんはお茶目な視線を私に移し、さぁ、声をそろえて笑ってね、とアイコンタクトしてこう言った。

「でも私、ふられたことないんです（笑）」

長岡輝子さんの声

長岡輝子さんと実際に初めて逢ったのは、銀座の楽器店の小ホールで宮沢賢治作品の朗読とトークがあり、あとでそのCD発売を記念したサイン会もあると聞いて出かけたときだった。平成十三年九月のことで、百二歳で亡くなるのがその九年後だから、逆算するとあのときは九十三歳。

長岡さんの銀色に輝くショートヘアはところどころピンクに染められていて、ふっくら

した丸顔のお肌もピンク、口紅も薄いピンクで、「ほんとに綺麗！」と感嘆した。

その後、長岡さんへのインタビューが叶って、私が一番訊ねたかったことが聞けた。

それは東洋英和から御茶ノ水の文化学院に進んだ長岡さんは、なんと与謝野晶子や堀口大學の講義を受けたそうで、そのときの様子。

「晶子先生はね、和服のときは胸元や帯がちょっとだらしない感じなんだけど、洋装は藤色とかの薄物のドレスで、つばの広い帽子を耳かくしの髪の上にのせて、素敵だったわよ。でもお声が小さくて前の二列にしか聞こえないの。『源氏物語』の講義なのに、聞こえないから私は勝手な空想にふけったりしていて、もったいなかったわ。

大學先生はね、フランスの近代詩を読んで解釈してくださるの。それがあとで『月下の一群』という詞華集《アンソロジー》になるわけね。でも私たちには洋行帰りの先生のファッションばかりに目が行って、スパッツという、靴の甲あてとか、鼻眼鏡とかが珍しくて、みんなで先生を取り囲んで話題にすると、この眼鏡は鼻の低い人には向かなくてね、なんてちょっと自慢げにおっしゃるの。たしかにいいお鼻の形だったわね」

長岡輝子さんは、長く文学座で女優、演出家として活躍したが、その名を全国に知られるようになったのは、昭和五十八年のＮＨＫ朝の連続テレビ小説『おしん』で、貫禄も思いやりもある加賀屋の大奥様役を演じてからと言える。

その長岡さんは文化学院在学中の十八歳のとき、築地小劇場の研究生に応募して合格し、女優を志す。

このとき、外遊帰りの商社マンだった父擴《ひろむ》はこう言った。

「パパは反対しないよ。ロンドンにいたころは毎晩のように芝居を観て歩いて、面白かった。しかし日本ではまだ女優の地位が低いから、どこか外国に行って芝居を観て来なさい。その前に毎日三時間読書して、語学の勉強もしなさい」

そして原語の『近代劇全集』を渡されて、英語の家庭教師もつけてくれた。すごいお父さんだと思う。

長岡さんは約三年にわたってパリに滞在し、多くの文化人に出会っている。たとえば画家の藤田嗣治《つぐはる》。

「藤田さんは例のオカッパ頭で、頰紅《ほおべに》さして、イヤリングしてるのよ。手首には腕時計の刺青《いれずみ》をしてた。このアトリエに集まる女の人たちが壮観で、作家の吉屋信子さん、門馬千代さん、画家の長谷川春子さん、詩人の深尾須磨子さん、永井荷風の恋人だった舞踊家の藤蔭静枝さん。みんなまぶしいような女ざかりで、二十歳《はたち》の小娘の私は隅っこでおうどんなんかいただきながら、みんなを観察していたの」

藤田のアトリエに置いてあったおかしな木の箱の話も忘れられない。

「四角い木箱で、真ん中に穴が一つあいてるのよ。来た人はおみやげ代わりにそこへいくらかカンパして行く、ってことらしいの。箱に彫刻がしてあって、私が手に取って見ていたら、それは女の足、ってわけなのよ。あらやだ、不良ねぇ、と言ったら藤田さんが、不良は嬉しいね、中学生に戻ったみたいだ、なんてね」

長岡さんは、ロンドンで久米正雄夫妻とも出会ってベルリンまで同行し、そこでマレーネ・ディートリッヒの舞台を観た、という話も豪華というか贅沢というか、とにかくすごい。


帰国後、最初の夫となる金杉惇郎がまだ慶應の仏文科に在籍していて、野球部の応援資金のカンパのために芝居をつくるから、何か向こうで観てきた面白い芝居をと言われ、長岡さんが三日三晩で翻訳したのが『お月様のジャン』。のちにマルセル・アシャールの代表作となる私の大好きな芝居だが、映画俳優のルイ・ジューヴェがまだ前衛劇団で芝居をしていたころ、そのプロンプターだったアシャールが書いて、ジューヴェが演じた。それを長岡さんはパリで観たのだそうだ。

「題名はフランスの古い童謡『ジャン・ド・ラ・リュンヌ』からなんだけど、この世の人とも思えないほど善良でぼんやりしたジャンが主人公。これを十朱久雄さん、その妻マルセリンが私、弟のクロテールが金杉、マルセリンの情夫が森雅之さんで上演したの」

私はこの芝居を昭和三十二年九月、第一生命ホールの文学座公演で観た。

配役はジェフ（ジャン）が芥川比呂志、マルセリンが丹阿弥谷津子、クロクロと呼ばれているクローテルが小池朝雄、情夫のリシアは三津田健で、長岡さんは訳・演出だった。

芥川さんのジャンは気が弱くて、妻に文句が言えるのは、彼女がベッドに入って寝静まってから。それも超スローテンポで。

私がそこを真似して見せると、長岡さんが喜んで、今度、丹阿弥さんが来るから、一緒にうちに遊びにいらっしゃいな、と招待された。

金杉惇郎は二十八歳で病没。次の夫となる実業家の篠原玄は七十九歳まで存命したが、丹阿弥さんと荏原町のお宅を訪ねたときは、長岡さんはお一人暮らしだった。丹阿弥さんは長岡さんより十六歳年下。

二人は私そっちのけで内輪話に興じ、「文学座が『女の一生』（森本薫作）を持って中国公演をしたときは、杉村（春子）さんが周恩来に秋波《しゅうは》を送ってるみたいで困ったわね」とか、「まあ、あれは主演女優としてのご挨拶だわね」とか、面白かった。「秋波」なんて言葉を聞くのは何十年ぶりだったろうか。

丹阿弥さんも文化学院の学生演劇で、森本薫の『華々しき一族』の主役、日本舞踏家の諏訪を演じ、年上の諏訪に思いを寄せる須貝の役は一年上級の木村功だったという話。

私はこれを昭和二十五年、中学生のときに母と一緒に三越劇場で観ている。

杉村春子の諏訪、金子信雄の須貝、丹阿弥さんがおっとりとした姉娘の美伃《みよ》だったが、(丹阿弥さんと金子信雄はのちに結婚する) その話を持ち出す余地などないほど二人はおしゃべりに熱中していた。

最後にようやく私も話せて、最近私が長岡さんとご一緒に新宿で観た若者芝居の『お月様のジャン』が、まったく別の芝居のように声がうるさいばかりだったこと。そして長岡さんの盛岡言葉による賢治の『雨ニモマケズ』や『注文の多い料理店』の朗読の声。静かなのに、なぜあんなに人の心に響くのでしょう、と伺ってみた。

答えてくれた長岡さんの深い声が今も耳に残っている。

「それはね、声というものは魂に直結しているからなのよ。別に悪声でもかまわないんだけど、聞いて心地よい声と不快な声とがあるのは、その人の心と直接つながっているからなの。褒められても、本心か、お世辞なのか、声ですぐにわかっちゃうでしょう?」

俳優の章

平幹二朗さんの絵葉書

平さんと初めて言葉を交《か》わしたのは、平成二十一年に朝日舞台芸術賞アーティスト賞と、読売演劇大賞最優秀男優賞をダブル受賞したどちらかのとき。祝賀会場は、銀座に近い東京會舘だった。対象となったのは、ピランデルロの未完の絶筆『山の巨人たち』の主演によるもの。

この難解な戯曲を書いたノーベル賞作家の名を最初に知ったのは、小松左京さんが京都

大学イタリア文学科卒業で、卒論はピランデルロ研究だった、とうかがったとき。のちに芥川比呂志さんにインタビューしたときも、ピランデルロの『口もとの花』は、口にできた癌《がん》のこと、『花をくわえた男』という訳もあるけど、それじゃ「男カルメン」だよね、僕が訳すなら『口のスミレ』かな、と笑ったことを思い出す。

それで平さんの『山の巨人たち』を観に行ったのだが、はっきりと伝わる朗々たる台詞《せりふ》術と、不思議なムードをかもし出す人物像の存在感が周囲を圧倒し、難解ながらおもしろかった。

パーティー会場で平さんにその感想とお祝いを申し上げながら、俳優座新人時代の田中千禾夫《ちかお》の『千鳥《ちどり》』から観ています、とつけ加えるととても驚かれたようで、今度ゆっくりその話から、となったのだった。

何日かして、平さんは長髪を後ろで束ね、『三匹の侍』の虚無的な浪人、桔梗鋭之助の後日……みたいなムードを漂わせながら、再び東京會舘のロビーに現れた。長身にサングラス。さすが主演俳優の貫禄があたりを払った。

実は私、『千鳥』より以前に、平さんが初舞台間もなくのころの『タルチュフ』の衛兵役から観ています、と伝えると、平さんは前よりさらに驚いてくれた。

「じゃあ、千田（是也）先生の異様な拵《こしら》えをじかにご覧になったんですね。ひたいをひどく禿《は》げ上がらせて、わざとらしいつけ鼻をつけて、赤や青でゴテゴテ顔を描いたタルチュフを」

このモリエールの喜劇を私はまず六本木の俳優座劇場で観たが、次に私が在学当時の日本女子大学成瀬記念講堂で、一日だけ公演があるのを知った。場内係アルバイト募集の貼り紙を見て、私は無料でいいので楽屋係にしてください、と申し出る。

「僕はあの衛兵で大失敗してるんです。終幕近く、タルチュフの悪事が露顕して逃げ出すときに、もう一人の衛兵と槍《やり》をガチッとぶっ違いにして出口をふさぐ。そのとき僕の槍が先生のつけ鼻にあたって、そこにくっついて取れちゃったんです。でも幕切れだったのでほとんど客席にはわからなかったですけどね」

私は楽屋係の役得で、千田是也、仲代達矢のサインをもらい、二人いた衛兵のハンサムなほうの新人にも書いてもらって、そこで初めて平幹二朗の名を知った。そのときは、のちに平さんがこんな大きな存在になるとは予想もできないことだった。

「千田先生は僕にいい役をつけてくださって、『千鳥』もその一つです。東野英治郎さんが演じる男が、その娘と僕が恋仲なのを知って、僕は東野さんに左手を斬られる。のちにその娘から生まれた寂しげな女の子が千鳥で、市原悦子さんでしたね」

だから平さん演じる男が、白いスーツのポケットに手のない左の袖を突っこんでいたのか、と納得する。

それにしても、人と話すのが苦手、一人でいるのがらく、と言っていた平さんが、この日はずいぶん語ってくれた。広島の生まれで、父親は早くに病死。いつも自分の中に閉じこもっていた。そのときの孤独癖がずっと尾を引いていて、結婚生活も結局うまくいかなかったのかもしれない……とまで。

そんな平さんが、なぜ人前で演じる俳優になったのか。

「俳優は役という仮面を通して物を言うわけですから、役の中にかくれて安心して自分の気持ちを表現できる。僕に向いてるような気がします」

インタビューの翌々日、平さんから絵葉書が届いた。

「今日はありがとう。久しぶりに人間と話した、という気がしました」

絵葉書はルオーの道化師の暗い横顔で「人間と」という書き方がおかしいのに、笑えなかった。

それからは、平さんの芝居は全部観ることになった。『冬のライオン』のヘンリー二世役、『ハムレット』のクローディアス役。このとき平さんが語っている。

「僕は、『ハムレット』は三十代で浅利慶太演出。四十代で蜷川幸雄演出。そしてなんと六十代でロン・ダニエルズ演出で、スリーバージョンのハムレットを演じています。それで今回、八十一歳でクローディアス。もうちょっと早くやりたかったですけどね」

そして最後の舞台は『クレシダ』(ニコラス・ライト作)。十七世紀、シェイクスピア劇を演じる少年俳優たちを指導する老優シャンクの役で、これはれっきとした主役。

最初のインタビューで平さんが言っていた。

「平成二十年、僕は作品に恵まれました。『リア王』と『山の巨人たち』。でもこれで主役は終わりかなぁ、という気がします」

長年、主役を張ってきた俳優が、年齢と共に脇に回る悲哀を察していたので、今回の主役は私も嬉しかった。

案内のチラシに添えられた平さんの絵葉書にこうある。

「僕は目下この『クレシダ』で猛稽古を続けております。連日十三時から二十一時迄。台詞量が厖大《ぼうだい》で悪戦苦闘中です」

世田谷のシアタートラム。私はこのとき珍しく一人で観劇、朗々たるシェイクスピアの台詞に聴き惚《ほ》れて楽屋を訪ね、これでまた演劇賞ですね、と言うと平さんは静かに笑って、あの繊細で大きな白い手を差しのべて、いつもより長い握手をしてくれた。

それから間もなく届いた平さんの訃報。平成二十八年十月二十二日に急逝、八十二歳、とあった。

青山葬儀所で、喪主をつとめた長男岳大《たけひろ》さんの挨拶で、最後の様子が知れた。

最後の晩、平さんと岳大さん夫妻は、岳大さんの妹の家を訪ねる。最近生まれたばかりの初孫に会いに行き、最初はためらっていたが赤ん坊を抱きかかえ、不器用にミルクを飲ませたりした。平さんは機嫌よく大好きなワインの杯を重ね、それまでできなかった「家族の会話」がその夜初めてできたという。

フラフラになった平さんを岳大さんが抱きかかえ、家に送り届けてベッドの上にドンと座らせ、「もう飲むなよ」と言う。

「そのとき父は、子どもが親を見るような可愛い顔をして、「岳、もう帰りなさい」って笑っていました」

まるで大柄な男優二人が共演する翻訳劇の舞台のよう。平さんのうっとり見上げる甘えた笑顔が目に浮かぶし、「岳」と呼びかける語尾のかすれるあの声も聞こえてくる。

平さんはそれからさらにワインを抜いて一人で祝杯を上げ、お風呂場で倒れて亡くなっていた。

主役を無事につとめ上げ、念願の家族との会話を果たし、さぞかし心は満ち足りていたことだろう。

名優はみごとに幕を引いたのだった。

岳大さんの挨拶の静かな結びの言葉に、参列者全員がほっとする。

「父は、幸せだったと思います」

池部良さんの吸殻

映画俳優——という呼び方がぴったりだった往年の大スター池部良さん。戦後『青い山脈』や『暁の脱走』の大ヒット以後、『雪国』や『暗夜行路』で超二枚目の座を不動のものにし、晩年には『昭和残侠伝』シリーズで渋い演技を見せた。

いっぽう、軽妙でシニカルな筆致の随筆家としても名を馳《は》せて、毎年都内のホテルで開

かれる文藝春秋社の忘年パーティーには、文筆家として端正な立ち姿を見せていた。会場の一隅、ワイングラス片手の長身の池部さん。まるでそこにスポットライトでもあるかのように、空気がパッと花やいでいた。

文春編集者の紹介で即座にインタビューの約束が叶えられたが、指定された場所が「有楽町の外国人記者クラブで」だったのがいかにもお洒落でスマートだった。

池部さんと「芸術は爆発だ」の岡本太郎さんとが従兄弟《いとこ》関係にあたる、というのがその容姿の違いからしてどうしても納得がいかず、まずそのことをうかがってみた。

池部さんの父は洋画家の池部鈞《ひとし》。その美術学校（芸大）時代の同級生、岡本一平の末の妹篁子《こうこ》が母。つまり池部さんの母は、岡本太郎の叔母ということになる。

東京・京橋の鞘町《さやちょう》小町と呼ばれた美人の篁子さんの息子と、一平と岡本かの子の一人息子、七つ年上の太郎さんとは、まったく似ていない。

池部さんが笑って言う。

「僕が兵隊に取られて、一応立教の出なので幹部候補生からすぐに少尉になって、上海の軍司令部から馬に乗って出て行ったら、いきなり敬礼もせずに、良ちゃん、良ちゃん、と呼びかける一等兵がいたんですよ。見ると背中を丸めた芋俵みたいな身体《からだ》にダブダブな軍服。締まりの悪いしゃがれ声で、僕、従兄の太郎だよ、って。すぐ馬から下りて、僕が子どものころにちょっと会っただけなのに、よくわかりましたね、って言ったら、絵描きは一度見たものは忘れないよ、って。これ、名台詞ですね」

と言っても、そのころすでに三本の映画に出ていて水際立った男前の池部さんは、だれにでもすぐわかる。

いっぽうの岡本太郎は、絵描きとしてパリで注目され始めたときに、戦争のために日本へ帰国したところを召集の「憂《う》き目に遭《あ》った」と池部さんは言う。

私はこの岡本太郎さんとも何度かお会いしていて、最初に青山の岡本邸を訪ねたとき、両手をひろげた生き写し等身大の像に唖然《あぜん》としていたら、やがてその後ろから同じポーズの太郎先生が現れて、「本物はこっちですよ」と言ったご機嫌な顔を、今もはっきり思い出す。

私の友人たちから、今だれのインタビューをしているの？　とよく訊かれるが、池部良さん、と答えたときほど羨望《せんぼう》の声が大きかったことはない。それで池部さんを囲む食事の会を考えてみた。

そのくどき文句は、「アラン・ドロンとのディナーつきフランス・ツアー」なる広告を以前、見たことがあって、何日も出発日があるのに果たして本物が毎回出てくるのか、不審に思ったことがありますが、「本物の池部良さんとのお食事会」を企画してもいいですか？　というもの。これもただちに「いいですよ」となって、すぐに銀座のお洒落なレストランを貸し切りにして、その食事会は開催された。

ここでまた脇道にそれるけれど、そのころ（平成十年代か）アメリカのテレビ番組に、有名俳優が『自らを語る』というのがあって、その聞き手は俳優学校（アクターズ・スタジオ）副学長のジェームズ・リプトン氏。この人の深い教養に基づいたいやみのない愛敬はインタビュアーの鑑《かがみ》とするところで、私はずっとあこがれていた。あるとき、もうかなりお年を召したジャンヌ・モローがゲストだったが、リプトンさんの質問中に、ちょっとそれをさえぎる形で「タバコ、いい？」と彼女が仕草で伝えると、「もちろん！　あなたはなにをしてもいいですよ」と答えて、大女優をうっとりさせる。この敬意に満ちた対応が、今後のトークをいかにスムーズに進展させるか、客席にいる演劇学生たちは、それを自然に学んだことだろう。

私はいつかこの台詞を言ってみたくて仕方がなかったが、なかなかその折は訪れない。しかしそれが池部さんとの会食で、突然叶う。

私が立って、隣席の大スターの紹介を始めたとき、八十路を過ぎてなお若々しい池部さんが、やおらタバコを取り出すと、「ちょっといいかな?」と私を見上げた。

一拍置いて、もちろんです、池部さんならなにをなさっても……と答え、昔、スクリーンでよく見た、唇だけでニッと微笑む色っぽい笑顔を、間近に見られて幸せだった。

ところで、愛煙家の池部さんは、夫人からはきつく禁煙を言い渡されていたらしい。厳しい監視を逃れて、いかにタバコを手に入れたか、その巧妙な手法を最近知った。

池部さんが亡くなるのは平成二十二年十月、九十二歳のときだったが、その最後まで雑誌四本の連載をかかえ、絶筆は「銀座百点」十月号。ある日、担当編集者の田辺夕子さんにせっかちな江戸弁口調の電話がかかってくる。

「モシモシ、キミさぁ、悪いけど、本に見せかけて、そっとタバコを持ってきてくれないかな」

そして、お迎えの車に乗ると、ズボンの裾をちょっと上げて、かくした吸殻の袋を取り出し、「これ、キミ、捨てといてくれない?」と渡されたのだとか。

池部さんとのお食事会は亡くなる年の五月まで、毎年続いて五、六回を数えた。いつもお一人でいらしたので、私たちはいいように大スターに甘えていたが、最後の年だけは美子夫人がつき添っていた。

池部さんは四十二歳のとき、二十歳の美子さんとお見合いして、結婚する。

でもその前に美子さんとは「偶然の出逢いがあったはず」と愉快そうに語ったのもこの食事会のときだった。

「それこそ『青い山脈』のときですよ。杉葉子さんとテニスをするシーンで、立教女学院のテニスコートへロケに行きました。助監督が見物人を追い払ってたら、その中にちっちゃいゴマみたいな小学生が何人か混じってて、なかなかどかない。僕が『ここは撮影に使うから向こうへ行ってちょうだいね』って優しく言ったら、ゴマの一人が『ここは私たちの学校です』なんて生意気言ってね。『どけ、ガキ』って追っ払ったけど、どうやらそのゴマが彼女だったらしいんです」

森永製菓二代目社長の箱入り孫娘のままで今に至っている「元ゴマ」を、一人残して死ぬわけにはいかない。書きたいこともまだ山ほどあるし、あと十年は生きるから、と池部さんは言っていた。しかし、九月に誤嚥性肺炎で入院すると、「美子さん、今度は僕、限界かもしれないね」とポツリと言って、その通りの結果になった。

囲む会のメンバーは今もときどき集まると、最初の会で池部さんと『青い山脈』の主題歌を合唱したね、とか、ケイタイをお貸ししたら「十円、借りね」と返された、とか、昔の私は原節子と似てた、と言ったらじっと見つめて無言だった、とか、それぞれの思い出をかみしめている。
みんなの思いの中で、池部さんはもう『雪国』の島村みたいに若くなっている。

小沢栄太郎さんのボストンバッグ

私がフリーの雑誌記者だったころ、「女性自身」(光文社)に、キンキンの「家内でございます」というのがあって、これは名士夫人、または既婚の有名女性を愛川欽也とともに訪問する、という企画だった。この連載がずいぶん長く続いたおかげで、その後私は多くの方々との知遇を得ることになる。

今、ざっと思い出すだけでも、團伊玖磨夫人、山藤章二夫人、井上ひさし夫人、五十嵐喜芳夫人、笹沢左保夫人。そして司葉子（相澤英之夫人）、浅丘ルリ子（石坂浩二夫人。当時）、山口淑子（大鷹弘夫人。当時）、岸田今日子（仲谷昇夫人。当時）、水森亜土（里吉しげみ夫人）、といった実に多彩な顔ぶれだった。

その連載中に、昭和四十九年、当時六十代の小沢栄太郎さんが三十七歳年下の女性と再婚、というのが大きな話題になり、キンキンと私はさっそく、そのころ田園調布にあった小沢邸を訪問した。門から玄関へ続くアプローチの花々がきれいだったのを覚えている。当日は夫人へのインタビューなのに、サポートのためか小沢さんも同席した。

キンキンは俳優座の養成所三期生だったので、当時の恩師、栄太郎先生に再会を果たし、興奮して思い出を語るし、元演劇少女の私は私で、昭和二十六年の『櫻の園』（チェーホフ）のロパーヒンがどんなにすばらしかったか、同三十一年の『二人だけの舞踏会』（小山祐士）で森雅之との意外な顔合わせがいかに素敵だったかを熱く語り、しばらくは本筋の取材を忘れていた。

小沢さんと、色白ゆえに「シロ」と呼ばれているその優子さんが出会ったのは、会員制のテニスコートだった。そのころまだ十代の学生で、小沢さんが何をする人なのかも知らなかったという。いつの間にか一緒に住むようになり、何年かして、優子さんがそう呼ぶ

「オースケ」の晴れて夫人となる。

「ある日、廊下を乾拭《からぶ》きしながら、手を止めて、ねえ、いつになったらお嫁さんにしてくれるの？　って訊いたら、涙があふれてきて……」

と語ったときの優子さんのかがんだポーズと、見上げる潤んだ眼を、今でもはっきりと思い出すことができる。

それまでに多くの「物語」を持つ小沢さんの半生は、長男小沢僥謳《きょう》の『火宅の人　俳優小澤栄太郎』に詳しいが、若い女性の一途さにふと足元を掬《すく》われる瞬間があったのだろう。映画『昼下りの情事』で、ゲイリー・クーパーの熟年プレイボーイが、若いオードリー・ヘプバーンの純情に負けるラストシーンを思い浮かべた。

キンキンとの会話の中で、私がひどく心惹《ひ》かれた言葉は「オースケは私に毛皮とブーツを禁じたの、趣味が悪い、って」というものだった。

私の十歳年上で早逝した兄が、幼い私に、ぬり絵と少女小説と宝塚を禁じたことを思い出し、兄もきっと毛皮とブーツのファッションは嫌いだったかも、と思って、急に目の前の小沢夫妻に親しみがわいた。

小沢さんはその後、私のテンポのゆるい話し方をおもしろがって「けだるの関」と呼び、映画で悪役ばっかりつとめてたのは俳優座劇場建設資金調達のためですよね、といった私ののん気な解釈を喜んでくださって、何回かご夫妻と芝居や映画をご一緒することになった。

お誘いの電話では、あのちょっとタバコくさいような声のバリトンで、

「もしもし、ボケの花がポワポワワーッと咲き始めましたねぇ」

などとからかうのだった。

小沢さんが昭和五十四年二月の新劇合同公演、森鷗外原作『阿部一族』の阿部弥一右衛門の役で、有楽町のよみうりホールに出演することになった。

弥一右衛門は主君から殉死の許しを得られず、やむなく第一幕の終わりで追い腹を切る。いつもそこまでで僕は帰宅してしまうので、今回は三人で続きを観て、食事をして帰ろう、というお誘いだった。

いよいよ小沢さんの見せ場、息子たちの見守る中、厳粛な切腹場面が始まると、折悪しく私の咳が止まらなくなり、心ならずも固唾を呑んで集中することができなくなった。

小沢さんはあっという間に着替えてきて優子さんと私の真ん中に座り、暗闇の中で私に何でもない飴を一つ手渡すと、

「関さん咳止め栄太郎飴！」

とにっこりした。

その後も何度か公演後に楽屋をお訪ねしたりしたが、だんだんと高齢になって病後のときでも、大きなボストンバッグはご自分で持ち、決して優子さんに持たせなかった。それが男としての矜持《きょうじ》だったのだと思う。

私の『日本の鶯——堀口大學聞書き』が日本エッセイスト・クラブ賞を受賞したのは昭和五十六年で、このとき小沢夫妻や愛川欽也さんが殊《こと》のほか喜んでくださり、祝賀会にも出席してくださった。

この本の果報は、本の題名と各章のタイトルを丸谷才一さんが、帯の推薦文を北杜夫さんがそれぞれ寄せてくださったこと。

大學先生は最晩年、アポリネールの『動物詩集』などの翻訳豪華本が出るたびに、丸谷才一、池田彌三郎、戸板康二、北杜夫の各氏へのサイン本をそれぞれにお届けするよう、私に託された。

「容子さん、私はもうすぐこの世からいなくなる人間なのよ。これはすべてあなたのためにすることよ。わかりますね」

という言葉を添えて。北杜夫さんが帯を書くのは稀有《けう》なことと聞く。

「堀口大學氏は、繊細な、或いは天衣無縫な詩を作りつづけられ、また多くの外国文学の名訳を残された詩仙ともいうべき方である。（略）氏の幼い頃から現在までの綿密な聞書きを、関容子さんはこれまた見事にまとめあげた。一読、巻をおく能《あた》わずというのがまさしく本書である。」

私の祝賀会のあと、しばらくして小沢さんのお誕生日のお祝いに招かれた。当時小沢邸は逗子の小坪にあって、お客様はそれぞれ白い花を一本持参してほしい、という優子さんの申し出がいかにもお洒落だった。

先客に遠藤周作さんがいて、小沢さんが私を紹介すると、

「北杜夫が一読巻をおく能わず、なんて書いてるから、何を大袈裟《おおげさ》なと思ったけど、昨夜読み始めたら本当に眠れなくなって、ずっと明け方まで読んじゃったから、ほら、こんなに眼が赤い」

と、自らの眼を指さすが、別段そんなこともないようだった。

「僕のことを、もしこの人が書いたら、帯を頼むね」と小沢さんは言っていたが、夢に終わった。

小沢さんが七十九歳で亡くなるのは昭和六十三年四月のこと。同じ四月に十七代目勘三郎さんも亡くなったので、葬儀の日が重なり、私は小沢さんのほうに列席できなかった。

でも、優子さんの希望で都内の花屋から白い花ではなく、真っ赤なバラが集められ、それが献花に使われたと聞いて、センスのいい夫人を持った小沢さんの幸せをしみじみ思った。

小沢さんが亡くなる直前に文化庁から電話があって、勲四等旭日章を受けるかと訊かれ、「駆けっこもしねえのに何で四等だ」と笑っていた、とあとで優子さんから伺った。

いかにも芝、田村町に生まれ育った人らしい。

小沢昭一さんのブリーフケース

小沢さんと初めて言葉を交わしたのは、平成九年の夏、「銀座百点」の番外百点句会。私はこのときが最初の出席で、偶然小沢さんのお隣に座り、以来小沢さんが平成二十四年に亡くなるまで、毎年銀座界隈《かいわい》の句会会場でお会いしていたことになる。

そのご縁で、私のロングインタビューにも直接お願いして快く応じていただいた。それが平成十七年のこと。ずいぶん率直に語ってくださって、特に印象深かったことが二つほどある。

まずは小沢さんの初恋とも言える永遠のマドンナ、新劇女優の堀阿佐子のこと。今ではほとんどその名を知る人もないようだが、戦後、文学座から俳優座に移り、パッと花が開くように注目されながら、昭和二十四年五月、『フィガロの結婚』のシュザンヌという大役に抜擢され、その稽古の最中、二十五歳で自ら命を絶《た》っている。

「情感たっぷりなのに、知的で、瑞々しくて、賢くて……」と言いながら、その褒め言葉のたびにコーヒーに一つ角砂糖を入れるので、都合四つも入れてしまうのにはびっくりした。小沢さんは甘党なのだ。

おかしかったのは、そのあこがれの堀阿佐子を劇場のロビーで見かけ、休憩時間に女性トイレの長い列に並んで、困ったなという顔をしているのを見て、自分が彼女のポンプになって汲み出してやりたい、と思ったという話。

「うちに帰ってから、その思いつきを自分で気に入って、そうだ、ペンネームを堀凡夫にしよう……。それでさっそく、フランス語の辞書の裏側に、筆で堀凡夫と書きましたよ。まぁ、バカですが」

この、「まぁ」と「バカですが」の間を微妙にあける、絶妙な話術にほとほと感じ入った。

堀阿佐子の死を知らせに来る小沢さんのお母さんの話がまた何とも言えず、いい。

「早稲田の大隈講堂で、チェーホフの『路上』っていう芝居に出てたとき、お袋が僕を呼び出して、しんみりして、まずお銚子から酒を注いでくれて、お飲みよって。どうしたのかと思ったら、堀阿佐子が自殺って新聞に出てたのを、僕が大好きなのを知ってましたから、そうやって来てくれたんです」

いかにも、東京蒲田で少年時代を過ごしたらしい息子と、その母親の心あたたまる情景が目に浮かぶ。

もう一つは、これもいかにも東京下町気質《かたぎ》と言えるのか、贅沢きわまりない道楽、または華麗なる酔狂……か。

それは『不忠臣蔵』（井上ひさし）雑誌連載十二回の中の一本を一人芝居に仕立て、台詞を憶《おぼ》え、稽古もして、熊谷のほうの劇場を借り、安野光雅画伯のポスターからチラシから、大道具小道具、照明から衣裳から全部作って、なんと、客を入れずに上演した、というのだから、あきれたくなる。

小沢さんによると、あるとき四谷をブラッと歩いていたら、於岩稲荷のあるあたりから何やらヘンな声が聞こえる。行ってみると、林家彦六師匠がまだ正蔵（八代目）だったころ、お稲荷さんに向かって、何か一生懸命一席伺っている。

「師匠とは知り合いの仲だったんで、どうしたんです、って声をかけたら、いえね、神様に聞いてもらってる、って。いいなぁ、と思ってね。僕もいつかこれをやってみたい、と思ったわけです。でも周りはみんな迷惑しましたね」

この『不忠臣蔵』幻のポスターの原画を、私は安野画伯の個展のときに新宿紀伊國屋で見たと思う。

「ええ、あの原画だけがチラリと日の目を見ましたね。しかしあれは芝居の神様に捧げたんだから、人にしゃべったり、書いちゃったらそれでおしまい、と思ってました。今、初めて話しました」

小沢昭一という人のイメージが、この話で大きく変わるのではないだろうか。

明るく、磊落《らいらく》で、洒落のめして人生を送っているように見えたかもしれないが、実は勉強家で真面目で、純情だったのを照れでかくしながら生きた人、のような気がする。

小沢さんには、幅広い俳優としてさまざまな顔があるが、昭和五十七年には俳優が小沢昭一ただ一人の劇団「しゃぼん玉座」を旗揚げし、その引退興行として井上ひさし原作の

『唐来参和《とうらいさんな》』の一人芝居を全国各地で十八年間続け、公演が六百六十回に達した。私もその最後の公演を新宿の紀伊國屋ホールに招かれて観た。これも『不忠臣蔵』一人芝居に端《たん》を発した情熱なのかもしれない。

また、放浪芸の収集、発掘の仕事も有名で、『日本の放浪芸』シリーズは、著書やレコードなどがさまざまな賞を受けている。

つまり、小沢さんの人生の基盤は落語にあったのだと思う。若気の至りで演劇に傾倒したが、間もなくそれは間違いで、人生を描くについては落語のほうが深くて大人だと気づく。それ故《ゆえ》か、晩年期はハーモニカを吹きながら、幼少のころの思い出を語り、「老謡」と称して昔の歌を歌う舞台を多く開催した。

そして、小沢さんは、「変哲」という号を持つ俳人でもあった。

年に一回開かれる「百点句会」で、出席者たちは小沢さんに逢えるのをみんな楽しみにした。

それというのも、小沢さんのしょっぱいような声で発する一言が、おもしろかったから。たとえば、出席者の目が最初にいくのが今回の賞品を書き出した貼り紙で、それぞれが捕《と》らぬ狸の皮算用、となる。

あるとき（平成十六年）、二等賞はブリーフケース、とあった。ブリーフケースって？と誰かが言うと、すぐさま小沢さんの「サルマタ入れのことですよ」という冗談で、大笑いとなった。それでこのときは、優勝は誰かよりも、二等の賞品を誰が獲得するかに関心が集まる。

結果、一位は詩人で俳人の高橋睦郎氏。そして二位は小沢さんと私が同点だったので、この句会のルールで女性優先、私が二位になった。

小沢さんは三等の賞品で私に風を送るようにして揺らしながら、猿蟹合戦のお猿みたいに、ズルそうに近寄ってきて、「女がサルマタ持ち歩かないでしょ。これと取りかえっこしようよ」と笑う顔が、すっかり昔のハモニカ少年に戻っていた。

あげるあてがあったので、「やぁよ」と言ってしまったが、今となっては悔やまれる。そうしておけばよかったのに……。

小沢さんは、勘三郎さんの早逝からたった五日後、平成二十四年の十二月十日に亡くなった。

その何日か後に百点句会があり、席題として小沢さんの追悼句、というのが出た。

何句かここに紹介する。

しぐるるやどこか遠くでハーモニカ　三田完
冬暖か変哲泳ぐ夢を見る　塩田丸男
役者馬鹿「とうらいさんな」通りゃんせ　山藤章二
小沢なる名乗聞きたし年忘　小澤實

そして私の句。

着ぶくれや軍歌ばかりをハーモニカ

北村和夫さんの純愛

文学座で杉村春子が輝いていた時代、そのほとんどと言えるくらい、相手役をつとめていたのが北村和夫だった。文学座には三津田健、宮口精二、中村伸郎、芥川比呂志、小池朝雄、仲谷昇、加藤武、江守徹と、いい男優がいっぱいいたが、私が一番好きだったのはやはり北村和夫だったと思う。

中でも森本薫の名作『女の一生』の、堤家の次男栄二役は極めつきで、その後誰が演じ

ても、違う！　と思ってしまうほど、鮮明に私の記憶に焼きついている。

第二幕、身寄りのない利発な少女の布引けいが、堤家の女中となり、最初からけいに好意を寄せる快活な栄二と、けいの赤い襷《たすき》の引っ張り合いでじゃれ合うような、一種のラブシーン。北村和夫の弾《はず》んだバリトンの声に、杉村春子の艶《つや》めいた笑い声が上下《うえした》にまとわりつくようにデュエットする。歌舞伎以外の演劇で、こんなにうっとりと酔い心地にさせられる芝居見物は、ちょっとほかに思いつかない。

私が北村さんにインタビューしたのは、平成十五年。八十歳で亡くなる四年前のことで、銀座の小料理屋で三度ほどお会いした。杉村春子は平成九年、すでに九十一歳で没している。北村さんと杉村さんの年齢差は二十一歳だというのに、杉村春子が二度目の夫、石山医師と昭和四十一年に死別して以来、二人は結婚するものだと周りから思われていた、という話に、まずびっくりさせられた。

順を追って書くことにする。

北村さんは早稲田の学生のころ、三越劇場で文学座の『女の一生』を観て感激し、昭和二十五年、在学中にその研究生となり、翌年、卒業と同時にもう文学座準座員。

「三越で『女の一生』を観たたった二年後、ひよっこの研究生の僕が、旅公演の堤栄二の役にいきなり大抜擢《だいばってき》されたんです。それまでずっと中村伸郎さんの役だったのが、なにか都合で休むことになって」

それは栄二が北村さんにぴったりの役だから、杉村春子がひと目でそれを見抜いたのだと思う。そう言うと、

「しかしひと幕終わるごとに怒られてましたね。あなた、本気で腕摑《つか》んじゃ痛いじゃないの、とか、お芝居ってそんなに力入れるもんじゃなくってよ、だからほら襷切れちゃったじゃないの、だめよあなた、とか。その言い方がじつに可愛《かわい》くて。いい女でしたね」

北村さんが最初の結婚をしたのは昭和三十一年、同期の女優の佐野タダ枝。

それから七年後の正月、事件が起きた。芥川比呂志、加藤治子、岸田今日子、仲谷昇、名古屋章、神山繁、文野朋子、小池朝雄、そして佐野タダ枝も抜き打ち的に文学座を脱退し、劇団「雲」を結成する。

このとき北村さんは頑としてその誘いに応じなかった。二年後に離婚。

杉村春子は最初の夫、五歳下の医学生を結核で失い、再婚した十歳下の医師とも十何年かで死別する。

あのころ、芝居好きの私の母が、「杉村春子って、丙午《ひのえうま》だからね」などと言って、「またそんな迷信を」と私の兄にたしなめられていた。

北村さんが言う。

「北海道の巡演先。『欲望という名の電車』で、杉村さんがブランチ、僕は野卑《やひ》な義弟のスタンリーでしたが、そこへ石山先生の訃報が入ったんです。正直に言おう、となって、彼女は鏡台の前に座って、髪をとかしてましたけど、鏡の中からこっちを見てなにか察したらしく、なぁに？　あ、そう、って、櫛《くし》を持つ手が止まってね。みんなはそれで引き下がったけど、僕だけそこに残ったら、抱きついてきて、ワアーっと泣いた。ご主人にちゃんとつくせなかったことを心底悔いてるみたいで、僕は、どうぞ思いっ切り泣いてください、だなんてね」

このとき北村さんが三十八歳、杉村春子五十九歳……。

しかし北村さんは四十二歳のとき、二度目の結婚をする。相手はぐっと年下だった。

「博多の飲み屋の娘さんでね、スラッとしたいい女だった。杉村さんは地方公演の舞台のあとはみんなでご飯食べたがるんだけど、僕はじきに抜け出して飲みに行っちゃうものだから、薄々感づくわけですよ。結婚するって言ったら、あんまりいい顔しなかったね」

芝居仲間との披露パーティーは、文学座にほど近い四谷の鉄道弘済会のクラブで開かれた。会費は二千円。司会が加藤武と小沢昭一、と聞いただけで、その場の賑《にぎ》わい方がわかる。

でも、肝心の杉村春子の登場ぶりはなんとも悲しい。

「一時間くらい待たされて、やっと現れましたよ。念入りに支度して、きれいな和服姿でひっそり来ましたね。まぁ、そりゃ、いやだったんだろうな」


北村さんにとって、もう一人のいい女は同じ文学座の太地喜和子。

昭和四十二年に研究生の試験を受けに来たときから並《なみ》の女じゃなかった、という。待っているときも、しじゅう足を組み直したりして落ち着きがなく、審査の席の北村さんと目が合うと照れ笑いをするのがひどく三枚目ふうで可愛らしかった。すぐに合格の二重丸をつける。入座してすぐに『阿Q外伝』や『ジェルソミーナ』で北村さんの相手役に抜擢された。

「杉村さんは喜和子の才能をとても買ってましたよ。よその公演で『飢餓海峡』に出てたとき、僕と一緒に観に行って、よかったわね、これは喜和子さんのものだわねって。最大級の褒め言葉ですよ。僕なんか一度もそう言われたことはなかったね」

太地喜和子が伊東の海で事故死するのは、平成四年十月のこと。四十八歳、女ざかりだった。

文学座で劇団葬が行われたが、北村さんは「最後のお別れ」をしなかった。

「みんながとてもきれいな死に顔だと言って迷ったけど、いやだ、って口に出して言ってましたね。まだどこかで生きている、と思っていたかったからでしょう。杉村さんも同じ思いだったらしく、とうとう喜和子の顔は見ませんでした」

杉村さんが亡くなるのはそれから約五年後のこと。文学座創立六十周年記念公演で、八木柊一郎作の『柘榴《ざくろ》のある家』では久々に夫婦役が決まって張り切っていたが、ついに実現は叶わなかった。

「入院しても台本読んでると聞いて、希望を持ってたけど、とうとう亡くなって。僕をここまで作り上げてくれた大先輩であり母親であり恋人であり一番多く組んだ相手役でもあった杉村さんを失って、僕は突っかい棒を失ったみたいにヘナヘナとなりましたね」

北村さんとのインタビューは、この話で終わるのだった。歌舞伎座横の小料理屋で北村さんが、「えーっ！　終わっちゃうの？」と、テーブルに両手を突いて立ち上がり、

「それにしてもあなたが杉村さんに一度も会ってないとはねぇ。惜しかったねぇ」と、ストンと腰を落とした姿が忘れられない。

北村さんは二十代からの六十年間、さまざまに形を変えながら杉村春子への純愛を貫き通した。

素敵な人生だったと思う。

加藤武さんのご祝儀袋

加藤武さんと言えば、武骨で、早飲みこみする、ちょっと三枚目ふうな役柄がよく似合った人、という印象がある。映画『犬神家の一族』など、金田一耕助シリーズの「よし、わかった！」を連発する警部役がはまり役だった。

早稲田大学では北村和夫と一緒だったが、少し遅れて文学座に入ると、二回あった分裂騒ぎにも同調せず、生涯文学座座員で通したというのも北村さんと共通している。

加藤さんは昭和四年、東京築地の生まれ。銀座の泰明小学校に通っていたというから、生粋の銀座っ子だ。戦時中、小学生は集団登下校させられていて、加藤さんは築地班の班長。下級生に今は人間国宝の澤村田之助（そのころは由次郎《よしじろう》）がいた。本願寺の正面を駆け抜けてくる色白の子役を見つけると、すかさず班長が『忠臣蔵』三段目の師直《もろのう》気取りで「遅い、遅ぉい～」とやる。すると子役の塩冶判官《えんやはんがん》が、ツツツッと小腰をかがめて近寄ってきて、「遅なわりしは拙者重々の誤り」と受ける。それからみんなで歌舞伎座の絵看板を眺めたりしながら数寄屋橋まで賑やかに歩いて登校したのだそうだ。

私が加藤さんに初めてインタビューしたとき、待ち合わせ場所にほんの少し遅れてきて、「やあ、遅なわりしは拙者重々の……」と笑い、すぐに集団登下校の話に入った。もしかしたら、あれは演出だったのかもしれない。

加藤さんの話から昭和十年代の築地、銀座界隈の暮らしぶりがかなり見えてきた。

まず、加藤さんの父親は高等小学校を出るとすぐ、当時は日本橋にあった魚河岸に小僧奉公に出された叩き上げの魚屋さん。

一方、母親は本所の生まれで、士族の娘だったがその父親が早逝し、家は貧しかった。しかし、学問好きで、第一高女から津田英学塾の予科まで進んだという。

「そんな学のあるおっかさんが、二十六歳の大年増で、魚屋の後妻に入って、僕たち五人の子を生み育てたってわけなんだ。こんな釣り合いの取れない夫婦を何が結びつけてたといえば、芝居と寄席と清元だね」

当時から邦楽好きの銀座の旦那衆たちがお互いの芸を披露し合う「銀座くらま会」という、つまり天狗の会があって、加藤さんの父は清元で参加していた。夕飯の後、「ちょっとさらおうか」となって、母親が三味線を弾《ひ》き、いい風景だったという。

加藤さんが歌舞伎見物に行くときは学校を早退《はやび》けする。泰明の担任の先生が粋な人で、早退理由の病気の叔父さん叔母さんが足りなくなると、「今度はうちの叔父さんを貸そうか」と言ってくれた。

でも、加藤さんの人生ともなる「新劇」と出遇《であ》うのは、麻布中学二年のとき。

家の近くに倉庫のような灰色の建物があって、そこに入っていく人たちも、暗くて何となく灰色っぽい。母親に訊ねると、それが日本初の新劇の常設劇場、築地小劇場だと教えられる。

そこで初めて観た新劇は『勤王届出』(丹羽文雄の原作を森本薫が脚色)で、三津田健、杉村春子が出演していた。

そして昭和二十年五月二十五日。米軍の大空襲で、歌舞伎座が焼失する。中学四年だった加藤さんは、悪夢を見る思いであこがれの歌舞伎の殿堂の終焉《しゅうえん》を、その目でしっかりと見届けた。

昭和二十七年、文学座入りした加藤さんの目に焼きついているのは、田村秋子、杉村春子という二人の女優の対立する姿だった。

田村は明治三十八年十月、杉村は翌年一月生まれでほぼ同年輩。田村は東京下谷で作家の田村西男を父として生まれ、杉村は広島で生まれて幼時に両親を失くし、芸者置屋の養女として育った。

加藤さんは、岸田國士の『牛山ホテル』とか、田村秋子自作の『姫岩』とか、真船豊の『稲妻』とかを毎日観て、田村さん、うまいなぁと思ったそうだ。

「あの『稲妻』っていう芝居。座敷の明るい障子の前に、杉村さんと二人でいて、亭主の悪口を言いっこするの。中村伸郎さんと宮口精二さんがその亭主でね。ほのぼのとしたい い芝居だった。でもね、田村さんは下谷の生まれでしょ。江戸っ子というのは弱いところがあるんだよ。しつこしがない、というのかな。俺もそうだからよくわかる」

田村秋子は夫の友田恭助と共に文学座創立当時からのメンバーなので、杉村春子の大先輩だが、友田が早くに戦死してからは、女優として強く生き抜く意欲を喪失した感があり、あるとき、あっさり引退を表明してしまう。

「田村さんのいる周りにはしょっちゅう涼風が立ってるみたいなとこがあって……好きだったねぇ」

加藤さんの麻布中学校からの盟友、小沢昭一さんが、加藤さんの著書『昭和悪友伝』の序文に、こんなふうに書いている。

「武《たけ》さんは江戸土着民、江戸の土人だ。新劇はすぐホリサゲルものだから、武さんには向いてない。みんなどこもかしこも田舎っぺに占領されているんだよ。だから気の毒に、武さん一所懸命カッペって」

小沢さんも東京蒲田で育っているから、同類としてこんなことが言えるのだろう。

加藤さんが笑って言う。

「昭ちゃんの言ってることも、逆に言えば江戸もんのコンプレックスなんだよ。ほんとに俺たちは根性なしなんだ」

私も本所の生まれですからわかります。そう言うと、おや、うちのおっかさんのご近所さんだね、と口の悪い私の親戚の伯父さんが笑うときの顔になった。

「そうそう、飯沢匡先生が皮肉たっぷりにこうおっしゃってたけど、わかるかな、ジョウキョウ劇場だって。唐十郎の状況劇場じゃないよ、上京劇場なんだよ。この劇界を牛耳っているのは、上京してきた人たちだ、ってこと。杉村さんが上京ですよ。広島から笈《きゅう》を背負って固い決意で出てきたんだから、強い、強い。最後までゆずらない。東京生まれは負けるよね」

しかし加藤さんは、杉村春子を生涯の師と仰ぎ、「芝居しないで芝居する」杉村の演技を永遠のテーマとして目標にしている、とその日の話を結ぶのだった。

元気だったあの加藤さんが亡くなるのは平成二十七年の夏、サウナで倒れてそのままだったと聞いて、本当にびっくりした。その年の五月に、文学座代表に就任したばかりだったのに。

思い出すのは、加藤さんのインタビューを収めた私の『舞台の神に愛される男たち』を届けに文学座公演中の楽屋へうかがったときのこと。

すっかり親戚の伯父さんみたいになった加藤さんが、「ご褒美《ほうび》!」と言って、「暫《しばらく》」の筋隈《すじぐま》のついた小さなご祝儀袋を渡してくれた。

こんなことは初めてで、やっぱり江戸もんなんだな、と驚きながらも嬉しかった。

一万円入っていたので、私はすぐに『舞台の神…』を五冊、お宅へ送ったらすぐに電話があって、「あんたもやっぱし江戸もんだねぇ」と言って、ちょっと笑った。その声が今も耳に残っている。

落語家・画家・音楽家の章

桂米朝さんの黒紋付

米朝師匠の長男、桂米團治さんの正月吉例独演会が銀座ブロッサムで開催され、私は友人たちと最前列で楽しんだが、一席演じ終えて引っこむときに、笑顔で軽く頭を下げたのがうれしかった。

というのもその昔、米朝師匠の引っこみが、客席の笑いの余韻を身体で受け留めながら、軽い会釈《えしゃく》でさわやかに歩く姿も芸になっていたのを思い出したから。あるとき私は、噺

が終わったとたん、もう関係ないという顔で素《そ》っ気《け》なく高座を下りる人がたまにいますね、と師匠に話したことがある。

「そらいかんな。シラけさせるね。やっぱり笑顔で引っこまんと、それまでが嘘になってしまうからね」

米朝さんの端正な高座姿がなつかしい。あれだけ黒紋付がすっきり似合う噺家は、ちょっともういないかもしれない。


米朝さんの知遇を得たのは、小松左京さんのご紹介だった。

ずいぶん前に、米朝さんは関西テレビのモーニングショー『ハイ！　土曜日です』の司会をつとめていて、レギュラーゲストだった小松さんを何かの打ち合わせで大阪に訪ねたときに、初めてお会いした。

番組に毎回ゲストで出てくる漆《うるし》塗りとか木工芸とかの名工に跡継ぎがないと知ると、帰宅するなり三人の息子さんに「だれか弟子入りせぇ」と、この人、週替わりで連発している、と小松さんが笑いながら教えてくれた。

それからというもの、東京でもよくお目にかかって、そのころ私が企画制作でたまに協力していたニッポン放送の深夜放送『オールナイトニッポン』にも、一回限りの大物ゲストで出演してもらったりした。

そのお礼のつもりで、今思えばだいそれたことに、あのころ銀座にあった喜船という小料理屋で、なんと米朝師匠にご馳走した。ここはかつて、六代目菊五郎の未亡人寺島千代さんが営む三嶋という待合に料理を仕出しする店で、たまに今の菊五郎さんが弟子たちとの打ち上げに使ったりする、という私の説明が師匠の好奇心に響いたのか、気軽に出かけてきてくれた。

当時、東京やなぎ句会は全盛で、宗匠が入船亭扇橋、メンバーは桂米朝、小沢昭一、江國滋、永六輔、神吉拓郎、三田純市、永井啓夫、加藤武、大西信行、柳家小三治、矢野誠一の十二名が揃っていたのだと思う。米朝師匠もほとんど毎月、上京して熱心に出席していたらしいから、東京のラジオに出演したり、こんな些細《ささい》なお招きにも応じる時間が取れたのだろう。

話は自然に俳句の話になる。

私が、米朝さんの「桜餅前に童女がかしこまり」を可愛い！　と褒め、続けて六代目圓生師匠の「春の宵公達《きんだち》になる身こしらえ」という句に添えて、狐が化け仕度をしている、俳画の色紙をいただいた、と話す。その絵からの連想で、私が「薄墨の月に狐の立ち姿」を作ったら、丸谷才一さんが「狸の夜学鼓打ちたり」と付けてくださった、と話すと、米

朝さんが、

「うーん、ポンポンが痛いと嘘を月の夜に鼓の稽古休む小狸……というのがありますな」

と言うのだった。

続けて丸谷さんが寅年の正月に、「虎は野にゾロゾロ放て年賀状」と書いて送ると、石川淳さんからの返事には「兎《うさぎ》は小屋に出番待つ春」と付けてあった話を披露する。

そして、その年の百点句会の席題に「初明り」が出たので、私がお二人を折衷して「虎は野に兎は小屋に初明り」を出したけれど、あまり抜かれませんでした、と話す。

米朝師匠が興に乗って、

「さっきの、ポンポンが……やけどな、あれ、三田純市さんの新作落語『まめだ』の枕に使ったらいいかも知れんな。まめだは、豆狸のこと。道頓堀界隈の古くからある民話をもとに、三田さんがすばらしいサゲを考えてくれた。このサゲには、自分で演じていても、ふっと涙ぐんだりするんでね」

私がじっと、その続きの本題を待っていると、師匠は仕方なく意を決して、ダイジェスト版『まめだ』を一席、差し向かいで語ってくれた。

「芝居小屋の奈落には狸が住みつく、と言われてて、中でもまめだは可愛いらしい悪さをするのやな。昔、下回りの役者に右三郎《うさぶろう》というのがおって、その年寄った母親がうちで家伝のびっくり膏《こう》というて、打ち身によう効く薬を売っておる。貝殻につめて一つ一銭で売る塗り薬やな。ある晩、右三郎が芝居からの帰りがけ、太左衛門橋を渡ると雨がショボショボ降り出したんで傘をさして高下駄カタカタ言わして歩いてると、傘の上がズシッと重くなった。スっとはずしてすぼめてみると、なんでもない。で、ひろげて歩き出すと、またズシッとなった。ハハア、まめだやな。それで傘をすぼめずにさしたまま、ポーンとトンボを返った。そしたら、ギャッちゅう声がして、犬のようなもんが暗がりを逃げて行きよった。

次の日帰ってきたら、お母はんが銭箱《ぜにばこ》眺めて思案しとる。銭箱に銀杏《いちょう》の葉が一枚入っとる。ついぞ見たこともない絣《かすり》の着物着た色の黒い男の子が膏薬買いに来たあとに、銀杏の葉が一枚入っとんたんやね。次の日も、次の日も、これが続いてある日銀杏の葉が入らなくなった。

あくる朝、早《はよ》うから表が騒がしいんで出てみたら、三津寺《みってら》はんの境内でまめだが死んでる。体中に貝殻いっぱいくっつけて死んどった。言うたらこれ、わたしが殺したようなもんですわ、このまめだ。あのなぁオイ。これは紙か布《きれ》に伸ばして、痛むとこに貼らないかんのや。こんな毛だらけの体へ、貝殻のままひっつけたってあかんのや。お前、こう伸ばしてな……和尚《おっ》さん、これわたしが御供養さしてもらいます。安もんのお経でええさかい、どうか上げたっとくなはれ。そこに秋風がサァーッと吹いてきて、境内一面に散り敷いている銀杏の落葉がまめだのところへ集ってくる。お母はん、見てみいな、狸の仲間から仰山《ぎょうさん》、香典が届いたがな」

私の鼻先が、ツンとなった。

米朝師匠は平成二十七年三月、八十九歳を一期として生を終えた。

長男の小米朝あらため米團治襲名は平成二十年だったから、襲名披露口上にも居並んで、立派に師匠として父親としての責任を果たしたことになる。

米團治さんが、のちにこんなことを言っていた。

「芸人は人さまのお余りで生かされてんのやで、という姿勢を最後まで父は崩しませんでしたね。それは人間国宝になろうと、文化勲章を受けようと、変わらないところがすごかったと思いますわ」

私は新橋演舞場を始めとして、恵比寿のガーデンホールの披露公演にも出かけ、最晩年の米朝師匠の静かな口上姿をただ客席から眺めていた。

米團治さんが言う。

「口上の席で、ただニコニコしてるだけの父の姿が、なんだかとても神々《こうごう》しく、透明に見えることがあったんです。このままだんだん落語の神様になっていくのかな、と思えるくらい。あんなにきれいに老いていった人というのもなかなかいないのと違いますやろか」

古今亭志ん朝さんのフラ

志ん朝さんとの初仕事は、昭和五十三年にビクターから出た『星寄席』というアナログ盤のレコードをつくることだった。当時、ＳＦブームだったので、星新一さんのショートショートを私が落語用に構成し、若手花形の志ん朝、小三治が口演する、という企画。志ん朝さんは『戸棚の男』、小三治さんは『ネチラタ事件』と『四で割って』で、これが平成二十七年にＣＤアルバムとして復刻された。

送られてきたCDをあらためて聴いて、大師匠たちの若き日の声や、録音当日の会食でのおしゃべりを思い出してなつかしかった。

その中の一つに、志ん朝さんより一つ年下の小三治さんの、ドイツ大好きの志ん朝さんは後輩仲間から「ドイツの兄《あに》さん」と呼ばれている、という話があって、なんだかそれがおかしくてずっと心に逗《とど》まっていた。志ん朝さんは獨協高校でドイツ語を学び、将来は外交官に、という夢が一時あったという。

何年か前に、やはりドイツが好きという米團治さんとその話が出て、こんな話を聞いた。「楽屋で僕を見かけると『ハ〜イ、ヴィー・ゲート・エス・イーネン（元気かい？）』すると僕が『エス・ゲート・ミア・グート（元気です）』なんてね。内心、どや、わからへんやろ、とあたりをちょっと見回したりなんかして」

志ん朝さんとはその後、対談やらインタビューやらで会うことが多々あり、いろんな話を聞いた。

中学生のころから歌舞伎が好きになって、父の志ん生に「父ちゃん、ちょっと口きいて役者にならしてくれよ」と言うと、「家柄がなきゃ上に行けない」。「じゃあ新国劇に」と言えば、「立ち廻りで怪我するからダメ」。「松竹新喜劇はどう？」と言うと、「大阪の人でなきゃ入れない」と全部つぶされた。

それより噺家は扇子一本で腕次第、偉くなれる、とすすめられて、その気になって父に入門。たった五年で異例の真打昇進を果たす。

それでもなかなか舞台の夢は捨て切れずにいて、ようやくその思いを叶えてくれたのが三木のり平だった。二十四歳のときの『寿限無の青春』を始めとして、さまざまな役で東宝の舞台に立たせてくれた。中でも山田五十鈴と共演した『たぬき』は名演だったと思う。

このへんのことについては、柳家小満んさんがまだ桂文楽（八代目）門下の小勇のころ、貴重な場面に出会っている。

「お酒の会社のお招きで、師匠のお供で会場にうかがったとき、三木のり平さんの姿があったんです。すると師匠がツカツカと寄って行って、「手前どもの志ん朝がお世話になっております。落語界にとっては百年に一人の男ですから、そのおつもりでよろしくお願いいたします」って。つまり、役者にしちゃってくれるな、ってことですね。のり平さんもにっこりうなずいて、わかってます、って顔してました。いい風景でしたね」

文楽師匠は落語界の止め名である三遊亭圓朝の名を継げるとしたら、この男を置いてない、と言っていたほど、志ん朝を買っていて、五年で真打昇進が叶ったのも、この人の鶴の一声による、ということだ。

志ん朝さんの話でよく思い出すのは、平成十一年、銀座の料亭で勘三郎さんと対談（「文藝春秋」）してもらったときに語られたこと。

思えばこのとき志ん朝さんは六十一歳。二年後には亡くなって、当時四十四歳だった勘三郎さんは十三年後に早逝してしまうのだった。

対談の少し前、勘三郎さんは新橋演舞場で『牡丹燈籠』で圓朝役を演じており、志ん朝さんは明治座で『髪結新三』新三役をつとめていた。

すると明治座の楽屋に「髪結新三さんへ、演舞場の圓朝より」という花が届く。感激した志ん朝さんが、羽織の紐を持って中村屋の楽屋を訪ねる。喜んだ中村屋がその場で衣裳の羽織の紐をつけ替えて、客席の志ん朝さんを前に、圓朝役を演じて見せた……という素敵な交流の話からその対談は始まった。言うまでもなく、髪結新三は中村屋の当たり役、圓朝はもしかしたら、この「矢来町」だった。

やがて志ん朝さんが、「おれ、好きなんだ、この話」という前置きで始めたのが、晩年の志ん生師匠のエピソード。

「うちの庭の池のたもとにあった梅の木が枯れたんで、植木屋が適当な長さに切って、そこに板を打ちつけて植木鉢を置けるようにしたんです。その板は水面にぐっと張り出していて、下に金魚が泳いでる。ある日、その板に鳩が来て止まった。そしたら日向ぼっこしていた親父が弟子を呼んで、「見な、あの鳩がなに考えてるのかわかるか」って」

勘三郎さんが次を期待して、フフフフと笑う。

「「あれは身投げしようかどうか、考えてんだ」って。鳩、こうして首左右に傾《かし》げて考えるでしょ。勝手に親父が鳩の了見になって、言っているのがおかしいんだね、この話」

このとき、志ん朝さんはかなり肝臓が弱っていて、初めはお酒を控えていたが、勘三郎さんがピッチを上げてくるとついつられてしまうのだった。

前に一度はお酒を断《た》つ決心をして、禁酒仲間の小満んさんに、「今日は飲まなかったよ」と自慢の電話をしていたそうだが、それも三日目あたりでもう「俺、突っ走ることにしたから」になったという。

わざわざそんな電話をするなんて、つくづく律儀な人だと思うけれど、「突っ走る」という言葉がいかにも哀しい。

志ん朝さんの歯切れがよくて威勢よく、トントンと運ぶ粋な江戸前落語が好きだった。でも、多くの人が晩年の「フラ」が出てくる芸に出会いたかったと言っている。フラとは、父志ん生のような飄逸《ひょういつ》な芸風を指すのだろう。あるとき、志ん朝さん自身がこんなふうに言うのを聞いた。

「なんであんなに、えー、とか、ん〜とか、考える間《ま》が多いの？　もしかして、忘れたのを思い出してる時間なの？　って、息子じゃなきゃ訊けないようなことを親父に訊いたんです。そしたら「ん〜、そりゃあね、なんだよ、え〜ほら、俺が、ん〜っていうと、お客が、なんですか？　って感じで乗り出してくる。そこで一言、さっとかわす。その駆け引きがおもしれえんだよ」って言ってましたね。でも、これ若い芸人にはできません」

まさにお客を自在に操る名人芸。お客はお客で、遊ばれていると知りながら、それを楽しみ、喜んでいる。志ん朝さんにはその域まで円熟してもらいたかった。

私は志ん朝さんへの芸談聞き書きを早くから願い出ていて、「じゃあね、六十五になったらやりましょうか」という返事をもらっていた。

亡くなったあと、二人のライターから、師匠に聞き書き取材を申し込んだら、「六十五になったらって、関さんと約束してあるから」と断られた、と聞いて胸がつまった。

シャイで自分を語ることを好まず、これはただ取材を断る方便として使われていたのかもしれないが、そうとしてもなぜもっと早く、もう一押ししてみなかったのかと、悔やんでも悔やみきれない思いでいる。

安野光雅さんの座布団

画家で絵本作家で文筆家の安野さん。その絵は趣味のいい淡彩で、細密、ときどきユーモアがひそませてあって、ほっこりさせられる。

風貌もいかにもその画風にふさわしく、茶色い眼をした小肥りの妖精がダブダブのジーンズで、中世からの風に乗って飄々《ひょうひょう》と現れ出た、という感じ。

安野さんからその生い立ちの話を聞いたのは、銀座の書店、教文館の喫茶室でだった。

「僕は津和野の町の小さな宿屋の倅《せがれ》でね、森の石松も遠州森の福田屋という宿屋の倅、グスタフ・マーラーもチェコスロバキアの宿屋の倅。まぁ、あんまり関係ないか」

安野少年は、父親が泊まり客のために毎朝読んで聞かせる新聞の音読を楽しく聞いた。

「僕は後妻の子だから、親父はもうかなりの歳でしたね。昔の新聞だから文語体。面白いリズムがあって、ときどき合いの手に、サテサーテというのが入る。尻上りで、サテサーテ、ってね。落語の「浮世床」に、知ったかぶりをする男が出てくるでしょ。「一尺八寸の大太刀を」「そんなに短いの？」「いや、これは横幅なり」「それじゃ向うが見えないよ」「ところどころぉに穴をあけ、そこに金網を張り、暇なときにぃは餅を焼き……」って、このリズム」

笑いながらこの落語もどきを聞いていたら、私が好きな『きつねがひろったグリム童話』という安野さんの絵本が思い浮かんだ。上の段にオリジナルのグリム童話、下の段に狐のお父さんが子狐にその絵を見ながら想像で語って聞かせる物語。あの狐はサテサーテ？　津和野のお父上のイメージか。

「そうね、たしかに親父がモデルかもしれないな。狐のお父さんが、この本は一回しか読んではいけないと書いてある、なんて言う。出まかせに読んでいるから二度と同じには読めないわけね」

一方、安野さんの母上はまだ若く、宿屋という商売柄、毎日髪結さんが来て、丸髷《まるまげ》に結い上げる。それを幼い安野さんが、そばでうっとり見つめていた覚えがあるという。

「まぁ、相当なマザコンですね。だから小学校から帰って、たまに母が家にいないとものすごく寂しいんだね。その場合、どこで泣くか、場所もちゃんと決まってるの。表通りからまっすぐ入った奥の部屋の隅に座布団が積んであって、その陰で泣くと、誰にも見えないの」

安野さんと落語をご一緒する話になった。

そこで落語会を企画制作するいがぐみ代表の五十嵐秋子さんに相談する。少し長い脱線になるが、この秋子さんのことを書く。彼女が秋田県のまだ中学生のころ、私の著書を読んで手紙をくれた。

「面白かった同じところを何回も母に言って、母はそのたびに笑ってくれました」という文面が可愛くて、私はすぐに返事を書いた。秋子さんが面白かったところとは、ニューヨーク公演のとき、團十郎さんが銀行で「千ダラー」と言っても通じない。「シェンダラー」と言い直してもダメ。勘三郎さんが「お兄ちゃん、千は日本語だよ」とあわてたしなめたという話。

ずっと経って、松竹舞台演出室に就職した彼女は平成十年、第三回屋島篝火《かがりび》歌舞伎関連の座談会に制作スタッフとして加わっていた。その座談会のメンバーは篠田正浩監督、作家の竹田真砂子さん、菊池寛令孫の夏樹氏と、私だった。終了後の会食のとき、篠田さんに改めて彼女を紹介し、昔の手紙の話をする。

「君はそこで人生を狂わされたんだね」と監督が笑い、同席していた澤村藤十郎さんも明るく笑った。

秋子さんはその後藤十郎さんの病気もあって転職を重ね、とうとう「いがぐみ代表」にまでなった。

それで、安野さんとの落語鑑賞は近々の小朝独演会をと推奨され、それを知った丸谷才一さんが僕も参加、ということになる。

そのころ小朝さんは、寝たきりの老人がカラオケに凝《こ》り、嫁に「ジュンコさ〜ん」を連発、というネタをよく演じた。そこで私は開演前、秋子さんに師匠への手紙をことづける。

小朝さんが「今日はカラオケは勘弁……って書いてあったよ」と笑って、急遽《きゅうきょ》『七段目』と『牡丹燈籠』に差し替え、出の直前まで楽屋で懸命に浚《さら》う姿を秋子さんが見ている。

安野さんも丸谷さんも大満足で、あとの酒席でもこのネタ差し替えの経緯の話で楽しく盛り上がった。お二人は、ほぼ同年輩の大正生まれで、このときの歓談が最初で最後の顔合わせであったらしかった。
よいことができたと思う。

安野さんの洒落ごころはさまざまな作品を生んでいるが、傑作は四十六文字中同じ文字を使わない「いろは歌」で、それを二つ作っている。
まずは四季を詠みこんだ一篇。

おにも春さくれんげほめ
夏せみとひまわりのたねを
そろえてぬすむ
秋いちょう
冬へからこやし

最終行の屁《おなら》からなぜ肥料がとれるかは不明。
もう一つは、格調高い七五調の四行詩。

つわのいろは
夢に津和野を思ほえば
見よ城跡のうすけむり
泣く子寝入るや鷺舞ふ日
遠雷それて颪たちぬ

この「いろは」から連想される安野さん晩年の仕事に平成二十二年に出た『繪本 仮名手本忠臣蔵』がある。各段を独自の視点からきめ細かく描き込んだ美しい絵本。この出版を記念して、「週刊朝日」で座談会が企画された。出席はもちろん安野さん、それから由良之助役者の片岡仁左衛門さん、そして『芸づくし忠臣蔵』の著書のせいで私、というメンバーだった。

仁左衛門さんが一ページずつていねいに見ていって、感想を言いながらユニークな意見を述べる。

あとで安野さんが、つくづくいい男だったと感嘆していた。

安野さんの仕事場は西新宿にあり、お住まいは小金井市だったのでご自身の運転する車で通っておられて、私は何度か仕事場から新宿駅まで送っていただき、短いドライブを楽しんだ。

その後ずいぶん会わなくなって、安野さんと近しい編集者のKさんに消息を訊ねると、近ごろは仕事場への出勤はないとのこと。亡くなったのは令和二年十二月のクリスマスイブの日で、九十四歳だった。

ところで、安野さんが平成二十五年に出した『会えてよかった』という素敵なタイトルのエッセイ集の中に、私のことを取り上げてくださっている項目があり、見つけたときはびっくりした。身に余る光栄なことだと思う。

ずいぶんいろんなことを教えていただいたが、私が美術の展覧会に行くたびに思い出す安野さんの言葉がある。

「美しいと感じる感覚は、こっちの心が動かされるかどうかなんだ。美は対象に備わっているというよりも、それを見る自分側の感性の責任なんだと思う」

これは人とのおつきあい、いい関係が築けるかどうかにも当てはまる言葉だろう。

安野さんに出会えてよかった！

岩城宏之さんの大鏡

「違いのわかる男」……として、一世を風靡《ふうび》したコーヒーのコマーシャル。チャイコフスキーの『悲愴』を指揮する岩城宏之は、じつにかっこよかった。地の底から沸き起こるような静かな悲しみが、その棒のひと振りで力強く躍動し、聴く者の気分がパッと変わる。

私はすぐまたじかに会いたくなって女性誌に企画を出し、『男のためのヤセる本』の著者岩城さんに、「女のためのヤセ方」を訊きに行った。指定された場所は帝国ホテルのテ

ィーラウンジ。

訥々《とつとつ》と言い淀むようなその語り口が、実は独特のチャーミングな話術なのだと気づき、今度は放送の企画を出す。それは当時全盛だったラジオの深夜番組『オールナイトニッポン』の、大物一夜限りゲストに岩城さんを、というものだった。ここにはかつて三笠宮寛仁殿下も出演して大きな話題を呼んだが、私が交渉した岩城さん、続いての桂米朝師匠、小松左京氏、ともどもに好評だった。

岩城さんが深夜ジョッキーで語ったこと。高校二年のときに音楽映画『オーケストラの少女』を観て、指揮者になろうと決心する。その後、中耳炎で五十日間入院し、なぜか病室にあった大きな鏡を毎日見つめて暮らすハメになり、日常の動作がどうすればかっこいいかを徹底的に研究した。

「ナルシストみたいだけど、この自己陶酔がなかったら、楽員も観客もすべて腰かけてる中で、たった一人だけ立って棒を振る指揮者商売はつとまりません」

なるほど、かっこいい。

岩城さんはよく演奏会に招いてくれた。とりわけシベリウスの『フィンランディア』と『トゥオネラの白鳥』の澄んだ響きは、今も耳に残っている。

ある日、フランス現代音楽のメシアン弾きとして知られる、岩城夫人の木村かをりさんが出演するコンサートに招かれて、終演後三人で車に乗った。真ん中の席に座ったかをりさんがすぐに白檀の扇子で両方に向けてあおいでくれたので、思わず私が「いい香り!」と褒め、呼び捨てにしたようで大笑いしたこともあった。

その後、岩城さんとは光文社のカッパ・ホームスで『岩城音楽教室——美を味わえる子どもに育てる』(昭和五十二年)を一緒につくり、これはあとで同社の知恵の森文庫(平成十七年)にもなって、私がその解説を書いている。

このときの話によると、岩城さんの指揮者デビューは藝大在学中の二十二歳のときで、曲はゆかりの『悲愴』だったが、その勉強の仕方が変わっている。当時日本で手に入る限りの八通りの『悲愴』のレコードを買ってきて、一枚につき三十回くらいずつ聴き、最もぴったりきたトスカニーニ盤をさらに五十回聴く。それだけ聴くうちにテンポとか歌い上げ方に不満の箇所が出てきて、それが自分の個性だと思ったとか。

のちに岩城さんが教えを受けることになるカラヤンは、少年時代にトスカニーニを信奉していて、ザルツブルクの自分の家からバイロイトの劇場まで、二日がかりで自転車で出かけ、何度追い払われても劇場の椅子の下にもぐってその練習風景を見たという。だから私も練習は公開しないが、そのくらい熱心な者がいたら追い払わないだろう、とカラヤンは岩城さんに言った。つまり岩城さんは、カラヤンを通じてトスカニーニの孫弟子になる、というのがおもしろい。

岩城さんがカラヤンの練習風景を見て学んだ最も大きなことは、楽員に注意するとき、演奏を止めて名ざしでとがめるようなことは決して しない、ということだった。

この話を別のときに、私の親しい二人の女優（吉行和子と冨士眞奈美）に伝えたら、「あら、芝居の演出家とは大違いだわ」と笑っていた。

『岩城音楽教室』の取材中に、私が日本女子大コーラス部でアルトだった話も出た。いつも隣りにいたのがのちに三島由紀夫夫人となる瑤子さん（杉山寧画伯令嬢）で、私はシューマンの『二人の擲弾兵《てきだんへい》』のソロ・パートを歌ったこともある、という話になり、岩城さんが酔いにまかせて「よし、そのコーラス部を指揮しようじゃないか」となってしまった。『オーケストラの少女』のストコフスキーが街のアマチュアオーケストラを指揮する感動の場面を思い浮かべたのかもしれなかった。そのころまだ昔のコーラス部の美人恩師が現役で学校にいらして、「えっ？　あの世界のイワキが指揮してくれるの？　本当に？」と大喜びしてくださった。

当日、車が目白の校内に入り、目指す校舎が、どうやら岩城さんのイメージと違っているのに気づいていたが、私はそっと黙っていた。

ほどなくセーラー服姿のコーラス部員が整列し、この世界的指揮者を黄色い声で熱烈歓迎。岩城さんは苦笑して私を振り返り、すぐに観念して、機嫌よく中学生たちの相手をしてくれた。私は「附属中学」というのをいつも略して、ただ「女子大コーラス部」とだけ言っていたのだった。今でもときどき思い出して、「悪かった！」と思っている。


岩城さんが頸椎《けいつい》の難しい手術をした（昭和六十二年）と聞いて、九段坂病院へお見舞いに行った。あまりに派手なパフォーマンスの指揮のために鞭《むち》打ち症状態になったとかで、「職業病だね」と笑っていた。そんなときにもかっこよくすることに怠《おこた》りなく、首と頭を固定させる金属の輪を王冠に見立て、妹尾河童さんデザインによる黒マントを羽織って「記念写真を撮ろう」と言ったりした。

その後、何度か癌に侵され、そのたびに立ち直っては、「ぼくの健康法は、手術です」などとかっこをつけているテレビ画面を、私は悲しい思いで眺めていた。

さらに驚かされたのは、平成十六年の大晦日、東京文化会館で午後から元旦の未明にかけて、「ベートーヴェンは凄い！」と題した演奏会を敢行したこと。なんと、ベートーヴェンの第一から第九までの全交響曲を、一人で、もちろん立ちっぱなしで指揮するというのだから、まさに「岩城は凄い！」と思わせられる企画だった。私はそれを新聞で知ったが、とても客席に座り続ける自信が持てず、敬遠した。

そして翌十七年のまたしても大晦日、今度は東京芸術劇場で同じ企画があると聞き、私は唖然とするばかりだった。客席に日野原重明医師が立ち会って、体調をチェックしながらのコンサートだったという。

岩城さんの死は、その半年後の六月十三日、七十三歳だった。

岩城さんが最後の句会に出たのは、亡くなる四ヵ月前の二月。岸田今日子さんもこのとき出席したのが最後になった、とあとで吉行、冨士のお二人から聞いた。

席題に「春浅し」というのが出て、「ね、岩城さんの句がとってもよかったのよね」と、口を揃えて褒めるその句は、

春浅しまだまだヨハン・シュトラウス

そのとき岩城さんの耳には、シュトラウスの『春の声』の旋律が花やかに、軽やかに鳴り響いていたのだろう。

五十嵐喜芳さんの咳払い

当時気鋭の若手テノール五十嵐喜芳さんを最初にお見かけしたのは、やはり銀座エリア。帝国ホテルのロビーで、そのころ既に伝説的な存在だった藤原義江さんにご挨拶する姿だった。のちに五十嵐さんは藤原歌劇団総監督を十四年の長きにわたってつとめることになるのだから、これはなかなか貴重な場面だったと言える。

私は小学生のころから年長の兄に連れられ、旧帝劇で藤原義江のアルフレード（『椿

姫』）やドン・ホセ（『カルメン』）を観ていて、イギリス人を父に持つテノールの素敵に洗練された舞台姿に憧れていたから、まずそちらに目が行って、次に、あ、五十嵐さん、と気がついた。でも、昭和三十年代にイタリアから帰国したばかりの五十嵐さんがピアノを弾きながら『忘れな草』や『オー・ソレ・ミオ』を歌うテレビのレギュラー番組があったから、私はもちろんこの若きテノールのことも知っていて、しばらくうっとりとこの光景を眺めていた。

次に五十嵐さんを見かけたのは、開業間もない山陽新幹線の車中。さっきから多少高めの声の咳払いの連発が、どこかで聴いた声のように思われ、そっと伸び上がって振り向くと、そこにはもうアルフレードやドン・ホセ役で私を虜《とりこ》にしてしまっている花形テノールが座っていた。

ずっとあとになってそのときの話をしたら、「ああ、あの咳払いは、コンサートの前に緊張して、声に響きがつけられるかどうか、声が思う場所に当たるかどうか、ずっと気にして試していたんですよ」

とのことだった。この話は、私が光文社の「女性自身」で田園調布の五十嵐邸を訪ね、ご夫妻にインタビューしたときにうかがった。

五十嵐家の長女で、現在、昭和音楽大学教授でソプラノ歌手の麻利江さんは、このときまだ幼くて、「将来、この娘のヴィオレッタ、僕のアルフレードで『椿姫』を歌うのが夢」と語ったことが強く印象に残っている。

五十嵐さんとはその後何度も取材その他でお会いしたが、ご一家と親しくおつきあいするようになったのは、やはり五十嵐さんがオペラの第一線から退《しりぞ》いて、コンサートや藤原歌劇団と新国立劇場のオペラ芸術監督に主力を注ぐようになってからだった。公演プログラム編集のお手伝いも何回かした。

そのころ五十嵐さんの車は大きな米国製のいわゆるアメ車、ブルーのシボレーで、対談会場などに向かうとき、それが音もなくスーッと近づいてきて、乗せていただいたこともあった。

「うわ、カヴァラドッシ（『トスカ』）のお迎えですね」と私が喜ぶと、「元ね」とにっこり。

そのうちに車は瀟洒《しょうしゃ》な暗いオリーブ色のジャガーに替わる。初めて乗せていただいたとき、後ろの席に大の五十嵐ファンのM社長がいて、

「あ、これ先生ご自慢のピカピカの新車ですからね、関さん、靴ぬいで乗ってください」

するとと五十嵐さんは間髪を入れず、リリコ・レッジェーロの明るい声で、

「全部、ぬいでください!!」

ちょうどそのころ、五十嵐夫人の直代さんは広尾の大通り沿いに、リストランテ・マリーエというイタリア料理店を開いていた。

五十嵐さんの関わるオペラの打上げにはよく使われて、今から思えば夢のような名歌手たちの顔が見られて幸せだった。フレーニ・ギャウロフ夫妻、ジャコミニ、サッバティーニ、ブルゾン、そしてドミンゴまでが現れたこともあった。

それというのもイタリア在住が長い五十嵐さんの人脈、それにお人柄で、急な代役に電話一本で大スター歌手を呼び寄せ、日本の観客をびっくりさせたことも何度かあった。

麻利江さんも着々とベル・カントの歌い手としての道を歩んでいた。近々、ローマのバルベリーニ宮殿で、第一回「父と娘のデュオ・コンサート」が開かれるのでその追っかけをしよう、という話もこの店で会食中にまとまった。バルベリーニ宮殿と言えば、映画『ローマの休日』でオードリー・ヘップバーン扮する王女様が新聞記者のグレゴリー・ペックと、涙の別れをして消えて行く宿舎として撮影された舞台。これはぜひとも行かなくちゃ、と思う。平成二年、夏のこと。

私はあまり泣くということがなくて、本当に悲しいときは怒ったような感じになり、何かに感動したときはジワッときたり、鼻がツンとする程度。

それがこれまで本当に何度か泣いたうちの二度までが、五十嵐父娘の情景によるもの……と最近思った。

その一が、あのバルベリーニ宮殿でのデュオ。二人がそれぞれ歌曲、カンツォーネ、オペラアリアと歌い進み、最後は麻利江さんの『椿姫』第一幕終盤のアリアになって「花から花へ」にさしかかる。麻利江さんのヴィオレッタが、愛だの恋だのそんなものは信じない、もっと享楽的に人生を楽しまなくちゃ、と歌っている。するとそこに、突然窓の外で青年アルフレードが神秘の愛に出逢えた歓びに打ち震えて歌う声が聴こえてくる。椿姫は思わず「あぁ！」と吐息をもらす。

その瞬間。私は遠い昔に、この娘と『椿姫』を歌いたい、と願った若いテノールの言葉がよみがえり、不意を突かれて、涙が止まらなくなったのだった。カーテンコールでそれを見た五十嵐さんが、ステージから大きな手を差しのべてくれた。

その二は、本当に悲しい。平成二十三年の五十嵐喜芳お別れの会。

五十嵐さんはその九月二十二日の晩、自由が丘のお鮨屋に一家三人で行き、機嫌よく帰ろうとして、そこでばったり野田秀樹さんと出逢い、一人だけ引き返してまた少し飲んだ。そして翌朝、急性心不全で帰らぬ人となったという。まだお元気な八十三歳だった。

会場は九段にあるイタリア文化会館。ステージにしつらえられた花飾りの祭壇を見てまず驚いた。白い花は一本もなく、全部が真紅のバラ。なんと花やかなテノールとのお別れだろう、と感動した。

そこに靴音を響かせて、麻利江さんが一人登場する。中央にたたずんで「本日は皆さま……」の言葉はなく、遺影をじっと見つめていて、静かに「パパ！」と語りかけた。ここでまた不意を突かれて涙がどっと溢れ出た。

なんでも、決まり切ったことでは人の心は動かないのだ、と思いながら泣いていた。

いつだったか、五十嵐さんのインタビューを書くに当たって、電話で歌曲の歌詞を確認させてもらったことがあった。いつもコンサートのアンコールで、私が行くと必ず歌ってくださったトスティの『可愛い口元』。あのポコポコいうところの意味はなんですか？と私がたずねると、「最初から歌ってみないとわからないよ」。じゃあ、歌って、と私が言う。親切なテノールはちゃんとアタマから、ささやくように歌ってくれた。

私はなんてズルいのだろう、と思いながら、幸せな気分にひたって受話器を耳にあて続けた。

お別れの会では、そんなことも思い出しながら、泣いていた。

特別編

兄、眞之助の銀座

私は十歳違いの眞之助兄さんが大好きだった。五十一歳で早逝してしまうその兄のことを思うとき、いつも浮かび出る情景がある。

戦後まだ間もないころ、両親が自分たちの銀婚を祝う代わりに、兄と私に洋服を新調してくれた。大学を出たばかりの兄には初めての背広。中学生の私には水色のワンピース。二人揃って銀座へ映画のロードショーを観に出かける後ろ姿を、母がいつまでも見送って

いて、隣家のおばちゃんに背中を叩かれ、笑われた、ということをあとから何回も聞いた。

そのせいか、私の兄との回想シーンには、銀座へ向かう二人の後ろ姿、というのが多い。当時、私の家は本所にあって、浅草まで歩いて地下鉄に乗る。途中、吾妻橋を渡るとき、仕事帰りの職人ふうの二人連れに、「よう、よう」と冷やかされ、兄が気色ばんで喧嘩になりそうなときに、通り合わせた近所のおじさんが「妹だ」と証明してくれて、事なきを得た。今となってはこれもなつかしい。


兄は長いこと一人息子状態だったので、構う相手ができて嬉しかったのか、私が二つ三つのころから夜寝る前にいろんな話を聞かせてくれた。妹が面白がって笑ったり、わからなかったことをあとで訊いたり、眠くなると「ありがとう」と言って寝るので張り合いがあったと、のちに兄が友人に語っている。思えばこれはインタビューの極意で、興味を示して話し手を励ますこと、感謝と敬愛を惜しまず表すこと。そうすればもっと素敵な話が聞ける、ということを、私はここで学んだのかもしれなかった。

兄の妹教育はどんどんエスカレートして行って、まずは塗り絵を取り上げられた。他人の描いた線に色を塗るなんて、馬鹿げている。自分が出せないじゃないか。

次に少女小説が禁じられる。少女向けに甘く、なんてものを読む暇があったらこれを、と言って、宮沢賢治の『グスコーブドリの伝記』とか、『千夜一夜物語』にしても、『シャクンタラー姫』とか、メリメの短篇『マテオ・ファルコーネ』なんていうのも兄の解説つきで読まされた。これは岩波文庫の『フランスの読本』という教科書のようなものに収められた小説。一度はかくまった男を、捜索隊長が目の前に揺らして見せる銀時計につられ、積み藁を指さした幼い息子を、帰宅した父親のマテオが銀時計を粉々に砕き、容赦なく撃ち殺す。この結末に衝撃を受け、いく夜も寝つけなかったが、兄が母に叱られるといけないので眠ったふりをした。また、楠山正雄の『二人の少年と琴』も私のお気に入りで、たとえば「琴柱《ことじ》」とある箇所には、兄の絵入り解説がついていて、すぐに先に進めるのだった。

次のタブーは宝塚。男役の不自然な発声が性に合わない、というのもあるが、女の子がみんな騒ぐ「多数派」の仲間に入ってほしくない、というのが理由らしい。

両親が私を歌舞伎や文楽にばかり連れて行くので、兄はオペラやコンサート、現代演劇、美術展、フランス映画、たまに母校早稲田の演劇サークル「ともだち座」の催事などにも誘ってくれた。河竹繁俊教授と仏文学者の辰野隆氏、舞台美術家の田中良氏、それに大好きな二代目松緑の座談会には、私は大喜びでついて行った。

だから私がジャーナリズムの道をめざしたとき、兄は当然のような顔で、別段驚いた様子もなかった。

昔、母からこんな話を聞いたことがある。

母には舅《しゅうと》に当る私の父方の祖父は、幕末に彰義隊の一員として上野の戦争で敗れた幕臣の一人息子で、名は彌助。

「お祖父さんが晩酌を始めると、お兄ちゃんを手招きして、眞ちゃんはいくつになった？って訊ねるの。九つ、と言うと、そうか、九つか、お祖父さんは同じ九つのときね、って、いつも話が始まるの」

敗色の濃かった彰義隊の侍である曽祖父は、九歳の彌助を連れ、民家の床下にかくれて一夜を明かす。やがて朝になると金品を添えて息子をその家に預け、最後の戦に臨んで再び帰ってこなかった。

「まあ、もっと裕福そうな家に頼んでくれればよかったのにね、その家はひどく貧乏で、お祖父さんはすぐに小僧奉公に出されちゃうの」

かつて商家などの住み込みの奉公人は、お盆と正月の年二回だけ、藪入り（休暇）が許される。

「奉公先から十銭いただいて帰るんだって。それで五銭はその養家先に出して、あとの五銭を持って妹と浅草へ行く。その家にはおとよと言って、お祖父さんより五つ六つ年下のおしゃまな女の子がいてね、その子が彌助兄さんに甘えて、お祖父さんも満更ではなかったらしいの。まずお寿司か何か食べて二銭。それから活動写真を観て二銭。あとの一銭を持って奥山で氷をね、夏の藪入りだったから」

　奥山はかつて浅草の観音様の裏手にあった盛り場で、見せ物小屋が立ち並び、緋毛氈《ひもうせん》を敷いた床几を置いた、野外の茶店もあったという。

「氷すいという、砂糖水を掛けただけの氷なら五厘。白雪という、小豆餡に砂糖がまぶしてあるのが一銭。すいにしような、すいでいいよな、って、お祖父さんがいくら言っても、ううん、白雪、っておとよがね」

　仕方なく白雪を一つ注文して待っていると、そこへ白雪が二つ来る。慌てて手を振ると、向うの床几にいた半纏《はんてん》姿の鳶の者らしい親方が、いいんだよ、もう済んでるから、と目で知らせて、ふところを軽く叩いて見せた。彌助少年は恥ずかしさのあまり、真っ赤になってうつ向いて、目の前の氷がだんだん溶けていくのをじっと眺めている。すると、その半纏姿の男が近寄ってきて、こう言った。

「俺がいちゃあ食べにくいやな。でも兄《あん》ちゃん、人の好意は素直に受けるもんだよ、ってその人が帰ってくれた。おとよときたら平気で、溶けかけのその氷を、また半分もらって食べたんだって」

私は生前の祖父とも、そのおとよさんとも会えなかったが、きっとおとよさんは私のように、兄が大好きだったのに違いない。おとよさんは、いいな、血がつながっていなくって、とチラリと思ったものだった。


昭和五十三年、雑誌「短歌」（角川書店）に『堀口大學聞書き』の連載が始まり、それが私の初めての署名原稿だった。兄はその第一回の私の名前を撫でさするようにして喜んでくれたけれど、そのとき既に脳腫瘍という重い病気に冒されていて、築地の病院に入院する直前だった。私は歌舞伎座や新橋演舞場に行くあと先には病室に寄って、子どものころからの兄との色んな思い出を語り合った。

小学校入学前に、兄の教育で片仮名が全部読めたので、一年の受持ちの先生にびっくりされたこと。黒板にその富岡先生が、自分の名前の「ト」という字を書き始めたら、私だけが「トッ」と声に出して読んで、先生がびっくりして振り向いたの。

夏休みの宿題の絵日記や工作はすべて兄の作なのが、どの先生にもすっかりばれていたこと。疎開先の松代小学校の先生にまでばれていて、「お兄さん、夏休みで帰ってきてるの？」なんて訊かれて。

兄が学徒出陣で終戦の年の四月に出征。見送りの松代駅で泣いたこと。そしたらお兄ちゃん、容子よ、愛する妹の容子よ、なんて、恋文みたいな葉書くれて、すぐ終戦で帰ってきたらあの葉書返せ、返せって追いかけられて、破かれて……。

中学、高校のころの友だちが、あの子もあの子も、何人も熱を上げたこと。私のお姉さんになりたい、って。お兄ちゃん知ってた？　知らなかったでしょ。

そのころ、私はコーラス部に入っていて、家に帰ってもよく歌っていた。

お得意の曲は『アニー・ローリー』だったが、音楽の教科書のは深尾須磨子のオリジナルの詞で、赤いりんごのようなほっぺをして、星のようにキラキラ輝く瞳の、五つになる歌の好きな女の子。それが、天の使いのわが妹……というもの。この終わりのところをわざと兄に聞かすように、よく歌ったものだった。

最初の手術がうまくいかなかった兄は、二度目の手術を受けることになり、その前日に会ったのが、意識がある兄との最後の面会となった。

病室を出ようとしたら、チャイムが鳴って、それがなんと『アニー・ローリー』。

振り返ると兄が笑ってこう言った。

「あの曲が朝に晩に、よく流れるんだ。そのたびに〽天の使いのわが妹……と歌っては、ヘヘンと笑って逃げていく、女学生の後ろ姿が浮かぶんだ」

昔ふうの別嬪《べっぴん》だった母に似て、すっきりとした一重《ひとえ》瞼《まぶた》の兄の眼が、今でもときどき笑いかけてくる。

あとがき

中学二年の国語の時間に、「人は何のために生きているのか」という作文の題が黒板に書かれて「えーっ!!」と大騒ぎになりました。新任の女の先生は涼しい顔で、題を変える気配はありません。

それで私は書き始めました。毎日の暮らしは平凡でも、ふとした時に美しい音楽に出遭って心が震えたり、雨上がりの空に突然虹がかかって感激したり、恐い恐いと思っていた人の優しさがわかって涙が溢れたり、そういう日のために人は生きている。そうして年月を重ねて行きながら、人は何ものかに近づいて行く。それは、死に向かっての痛ましい行進である……。

「年少にして人生観が確立している。ただし最後の一行は不要。言わなくてもわかる」と、国語の先生に削られて、私はこの作文を秋の文芸発表会に全校生徒と父兄の前で朗読しました。

それを聞きに来た私の家庭教師みたいだった兄が、最後の一行は、中学二年がそう書くところが値打ちだったのに、惜しかったな、と嘆息しました。

この早逝した兄のことをいつかきちんと書きたい、というのが長年の私の念願でしたが、四年前に「銀座百点」から、今は亡き心優しい人たちのスケッチを、という連載を依頼されたおかげで、ここにようやく果たすことができました。

思えば、これまでに何と多くの素晴らしい人々との出会いがあったことか、と思います。その方たちからさまざまな教えを受けたことが、どんなに私の人生を豊かなものにしてくれたことでしょう。

たとえば指揮者の岩城宏之さんがある日「女の人は、流行りすぎないで適当に流行るほうが幸せだよ」とつぶやいた。私はもともと上昇志向は持ち合わせていないつもりですが、ゆったりとして、なるべく上等なアマチュア精神を持っていたい。と願うようになりました。それで多くの著名な人々が、特に仕事でなくても時間を取り、心を開いて多くを語ってくださったように思います。本当に有難く、幸せなことでした。

身に余る推薦の言葉をお寄せくださったロバート キャンベルさんには、連載中も何度かエールを送っていただきました。厚くお礼を申し上げます。

三年半に及んだ「銀座百点」連載中は、南伸坊さんが登場人物の表情を生き生きととらえたイラストを見るのが楽しみでした。特に最終回の兄と私の後ろ姿は、写真もなかったのに、感じが当時の兄と私そのままで、鳥肌が立つ思いでした。本当に有難うございました。感激しています。

今回、『銀座で逢ったひと』が単行本として世に出るに当り、改めて銀座百点編集長の田辺夕子さんと、中央公論新社の兼桝綾さんに心からの感謝の言葉を申し上げたいと思います。有難うございました。

令和三年初秋

関　容子

秋麗や銀座へ人に逢ひに行く

本書は「銀座百点」で連載された同タイトルのエッセイ（二〇一八年一月号～二〇二一年六月号掲載分）のうち、三十七編を選んで加筆修正し、一冊にまとめたものです。書籍化にあたり「誠の人、情の人　十八代目中村勘三郎」（松翁軒発行「よむカステラ」二〇二〇年初夏号掲載）を収録しました。

関 容子（せき・ようこ）

エッセイスト。東京都生まれ。1958年に日本女子大学文学部卒業。雑誌記者を経て、81年『日本の鶯――堀口大學聞書き』で日本エッセイスト・クラブ賞、角川短歌愛読者賞受賞。96年『花の脇役』で講談社エッセイ賞、2000年『芸づくし忠臣蔵』で読売文学賞、芸術選奨文部大臣賞を受賞。著書に『歌右衛門合せ鏡』『女優であること』『海老蔵そして團十郎』『舞台の神に愛される男たち』『客席から見染めたひと』『勘三郎伝説』などがある。

銀座《ぎんざ》で逢《あ》ったひと

2021年9月25日　初版発行
2022年3月5日　3版発行

著　者　関《せき》　容《よう》　子《こ》

発行者　松田陽三

発行所　中央公論新社

〒100-8152　東京都千代田区大手町1-7-1
電話　販売 03-5299-1730　編集 03-5299-1740
URL　https://www.chuko.co.jp/

DTP　今井明子
印　刷　大日本印刷
製　本　小泉製本

Published by CHUOKORON-SHINSHA, INC.
Printed in Japan　ISBN978-4-12-005466-2　C0095

定価はカバーに表示してあります。
落丁本・乱丁本はお手数ですが小社販売部宛にお送りください。
送料小社負担にてお取り替えいたします。